MULTIPLIQUE

FRANCIS CHAN & MARK BEUVING

MULTIPLIQUE

DISCÍPULOS QUE FAZEM DISCÍPULOS

Traduzido por DANIEL FARIA

Os textos das referências bíblicas foram extraídos da *Nova Versão Internacional* (NVI), da Biblica, Inc., salvo indicação específica. Eventuais destaques nos textos bíblicos e nas citações em geral referem-se a grifos dos autores.

Dados Internacionais de Catalogação na Publicação (CIP)
(Câmara Brasileira do Livro, SP, Brasil)

Chan, Francis

Multiplique: discípulos que fazem discípulos; traduzido por Daniel Faria.
— São Paulo: Mundo Cristão, 2015.

Título original: Multiply: disciples making disciples.
ISBN 978-85-7325-985-8

1. Conduta de vida 2. Cristianismo 3. Discipulado (Cristianismo) 4. Vida cristã I. Beuving, Mark. II. Título

14-00822 CDD-248.4

Categoria: Igreja

Publicado no Brasil com todos os direitos reservados por:
Editora Mundo Cristão
Rua Antônio Carlos Tacconi, 69, São Paulo, SP, Brasil — CEP 04810-020
Telefone: (11) 2127-4147
www.mundocristao.com.br

1ª edição: maio de 2015
9ª reimpressão: 2023

Sumário

Parte 5: Entendendo o Novo Testamento

Prefácio

Desde o início do cristianismo, o desdobramento natural de ser um discípulo de Jesus sempre foi fazer discípulos de Jesus. "Sigam--me", disse ele, "e eu os farei pescadores de homens" (Mt 4.19). Isso foi uma promessa: Jesus tomaria seus discípulos e os transformaria em discipuladores. E foi também um mandamento: ele chamou cada um de seus discípulos para que fosse e fizesse discípulos de todas as nações, batizando-os e ensinando-os a obedecer-lhe (Mt 28.19-20). Desde o começo, o propósito de Deus foi que cada discípulo de Jesus fizesse discípulos que fizessem discípulos que fizessem discípulos até que o evangelho se espalhasse por todos os povos.

De modo sutil, porém, nós infelizmente pegamos esse valoroso mandamento de Cristo — ir, batizar e ensinar todas as nações — e o transformamos num chamado confortável para os cristãos virem, serem batizados e escutarem, num único lugar. Se você perguntar hoje a um cristão o que significa fazer discípulos, provavelmente ouvirá ideias desconexas, respostas ambíguas e até mesmo alguns olhares perdidos. No meio de toda a nossa atividade como cristãos, e com todos os nossos recursos eclesiásticos, estamos correndo o risco de, na prática, ignorar a comissão de Cristo. Vemos o evangelismo como um tema assustador, reduzimos o discipulado a um programa fixo, e muitos na igreja acabam à margem, com uma mentalidade de espectador, delegando o trabalho de fazer discípulos a pastores e profissionais, ministros e missionários.

Mas não deveria ser assim. Jesus convidou todos nós para fazer parte de seu plano. Ele planejou que todo o seu povo conhecesse sua alegria à medida que partilhamos seu amor, espalhamos sua Palavra e multiplicamos sua vida entre todos os povos da terra. Este é o grande propósito para o qual fomos criados: desfrutar da graça de Cristo enquanto propagamos seu evangelho, desde onde moramos até os confins da terra. E tal propósito é digno de que doemos nossa vida para vê-lo realizado. É digno pelos bilhões de pessoas que ainda não conhecem a misericórdia e a majestade de Deus em Cristo. E é digno por você e por mim, porque fomos feitos para ser discípulos que fazem discípulos até o dia em que veremos a face daquele a quem seguimos e, juntamente com todas as nações, provaremos sua satisfação por toda a eternidade.

Esta é a essência do livro que você tem em mãos. Quando Francis Chan e eu nos encontramos pela primeira vez, nosso coração logo ressoou a paixão comum por fazer discípulos. Temos muito que aprender, mas desejamos avidamente fazer discípulos em nossa vida, e ansiamos zelosamente ver cada membro da igreja mobilizado para fazer discípulos por meio de sua vida. Este livro é parte do resultado dessa paixão. Francis e Mark produziram uma ferramenta simples, prática, bíblica, útil e personalizada para os discípulos de Jesus que querem fazer discípulos de Jesus. Oro para que ela seja usada com a misericórdia de Deus a fim de fomentar a multiplicação do amor e da vida de Cristo para, literalmente, todo o mundo, visando a glória do nome de Deus.

DAVID PLATT

Pastor, escritor e presidente do Comitê de Missões Internacionais da Convenção Batista do Sul dos Estados Unidos

Como usar este livro

Após ressurgir da sepultura, Jesus deixou a seus seguidores uma ordem simples: "Vão e façam discípulos de todas as nações" (Mt 28.19). A igreja deveria ser conhecida por cumprir este mandamento. Se pretendemos nos chamar de seguidores de Jesus Cristo, devemos fazer discípulos.

Hoje, contudo, a maioria dos cristãos não é conhecida por fazer discípulos. Desenvolvemos uma cultura em que o pastor ministra e o resto de nós fica lá sentado, desfrutando da "igreja" a uma distância confortável. Não é isso que Deus pretende para sua igreja. Todo cristão é chamado por Deus para ministrar. Você é chamado para fazer discípulos.

Multiplique foi concebido como um recurso simples que você pode usar para começar a fazer discípulos. Nossa oração é que este livro lhe conceda a confiança necessária a fim de que você dê um passo de fé e discipule as pessoas que Deus colocou em sua vida.

Usando este livro

Os objetivos de *Multiplique* são ajudar você a entender as Escrituras e lhe oferecer as ferramentas para discipular pessoas à medida que adquire esse entendimento. Temos a responsabilidade de crescer em nosso amor e serviço a Deus e aos outros. É isso que significa ser igreja. Não somos responsáveis apenas por nosso bem-estar espiritual; somos chamados a ministrar às pessoas ao nosso redor, ensinando-as a obedecer a todas as coisas que Jesus ordena.

Por essa razão, há duas diretrizes que lhe pedimos que siga quando utilizar este livro. Obviamente, não podemos forçá-lo a usar este programa de estudos de uma forma específica, mas é bom conhecer a ideia por trás de *Multiplique*.

1. *Ensine o que você aprende*. Este livro não se propõe a ser lido, mas a ser ensinado. Existem diversos outros estudos bíblicos disponíveis caso você queira apenas absorver mais informação. A ênfase de *Multiplique* é fazer você desenvolver o hábito de passar adiante o conhecimento adquirido.
2. *Partilhe não apenas informação, mas vida*. O processo descrito em *Multiplique* foi concebido para ser altamente relacional. O verdadeiro discipulado implica relacionamentos profundos. Jesus não se limitou a conduzir um estudo bíblico semanal. Ele viveu com seus discípulos e ensinou tanto por meio de ações quanto de palavras. Embora isso exija um compromisso bem mais profundo, é a única maneira de realmente fazer discípulos.

Deus quer que vivamos, sirvamos e verifiquemos a verdade no contexto da comunidade. Nas próximas semanas, você encontrará muitas perguntas difíceis e verdades transformadoras. Trabalhar junto de outras pessoas terá valor inestimável durante sua busca por compreender o que a Bíblia está dizendo e como Deus quer que a verdade se manifeste em sua vida.

O discipulado, por definição, requer um líder e seguidores. Este livro foi projetado para o trabalho conjunto entre o líder e o discípulo. Isso não significa que o líder precisa ser idoso e totalmente maduro, ou que o discípulo precisa ser um completo novato. Todos estamos em diferentes estágios de maturidade, e todos precisamos ter por perto pessoas que ajudem a nos guiar à semelhança de Cristo. O ideal, porém, é que você guie outra pessoa por intermédio deste livro ou seja guiado por algum cristão mais maduro. O objetivo é que, assim que tiver conhecido todo este material, você possa olhar ao redor e usar este livro para guiar outra pessoa. Na verdade, você será encorajado a guiar outras pessoas durante o aprendizado. Não espere até ter completado tudo antes de ensinar a outros o que você aprendeu.

Deus quer que falemos sobre ele ao longo de toda a semana. O discipulado tem tudo a ver com vida em conjunto, e não apenas com um encontro programado semanalmente. Assusta-nos, porém, o modo como o tempo foge de nós; por isso é bom estabelecer pelo menos uma reunião regular a cada semana. Sem um pouco de programação, nossas boas intenções muitas vezes não resultam em ação.

Multiplique está centrado em encontros semanais. Toda semana você estudará um capítulo. Esses estudos o ajudarão a refletir sobre verdades bíblicas e sobre como essas verdades devem moldar sua vida. Alguns focalizam conceitos-chave relacionados ao discipulado — o que significa ser um discípulo, como a Bíblia deve ser estudada, como podemos ajudar as pessoas ao nosso redor a viver em obediência a Jesus etc. Outros enfocam importantes conceitos bíblicos e os principais acontecimentos na história bíblica — criação, queda, aliança de Deus com Abraão, vida e morte de Jesus Cristo etc. Em cada um desses estudos, você fará a leitura de passagens das Escrituras e refletirá acerca das verdades apresentadas e suas implicações para sua vida e seu ministério. O objetivo é entender o que a Bíblia diz e permitir que a verdade transforme seu modo de pensar e seu estilo de vida.

Questões práticas e desafiadoras

Cada estudo inclui no final a seção "Questões práticas e desafiadoras", com perguntas e atividades que desafiarão você a refletir sobre o assunto abordado. Essas perguntas podem também ser usadas para estruturar o tempo que você passa com seu(s) discípulo(s). Ao estudar sozinho, você pode ler todo o material e responder às perguntas. Quando se reunir com seu(s) parceiro(s), no entanto, vocês podem simplesmente pular de uma pergunta para a outra, partilhando respostas e discutindo outras perguntas e ideias surgidas durante o encontro.

Se você está usando este livro para guiar alguém (ou um pequeno grupo), não se sinta pressionado a saber mais que todo mundo. O que conta não é o conhecimento. Em vez disso, inicie uma discussão sobre o assunto abordado nas questões. Nós todos "sabemos" coisas que não têm nenhuma relevância prática em nossa vida; portanto, quanto mais você tornar sua discussão prática e aplicável, melhor.

Vídeo semanal

Você encontrará no final de cada capítulo um QR Code que o levará para um vídeo legendado, com cerca de cinco minutos de duração. Os vídeos são destinados aos líderes e também estão disponíveis no canal da Mundo Cristão no Youtube (<youtube.com/user/EditoraMundoCristao>). Se você está guiando outra pessoa por meio deste livro, os vídeos o instruirão a como realmente "discipular" alguém nessas verdades. O ideal é que você passe primeiro pela seção "Questões práticas e desafiadoras" e responda a todas as perguntas. Talvez você queira escrever em seu livro ou usar um caderno separado. Depois, você assistirá ao vídeo e tomará notas sobre como deseja guiar seu discípulo no decorrer do encontro. (Não há maiores problemas caso seus discípulos queiram também assistir aos vídeos, mas estes são direcionados sobretudo para os líderes.)

Como organizar os encontros semanais

Cada pessoa lidará com este livro a partir de um contexto particular e um ponto de vista próprio. Portanto, estruture seus encontros semanais de acordo com suas necessidades e restrições específicas. Se você está liderando seus encontros, certifique-se de passar tempo necessário discutindo sobre o assunto abordado naquela semana. As questões práticas e desafiadoras foram planejadas para guiar sua discussão, mas você pode contribuir com outras questões relevantes.

Tão importante quanto estudar todo o conteúdo é garantir que você não vai parar por aqui. A Palavra de Deus deve mudar nossa vida. Tiago diz que se tudo o que fazemos é ouvir a Palavra mas nunca colocá-la em prática, então estamos enganando a nós mesmos (Tg 1.22). Em muitos aspectos, é melhor não conhecer os mandamentos divinos do que os conhecer e desconsiderar. Não caia na armadilha de estudar a Bíblia sem fazer o que ela diz. Reserve tempo para partilhar pedidos de oração, discutir conflitos e pecados pessoais e manter uns aos outros responsáveis por viver de acordo com a verdade da Palavra de Deus.

Para que você está trabalhando

Ser discípulo de Jesus Cristo significa que aprendemos com ele, temos comunhão com ele e obedecemos a tudo o que ele nos ordena. Nós estudamos a Bíblia para aprender sobre quem é Deus, quem somos e o que Deus está fazendo em nosso mundo. A Bíblia nos incita a nos juntar a Deus naquilo que ele está fazendo em nós e em nossa volta. Estudar a Bíblia é importante, mas o objetivo nunca é meramente o conhecimento.

Durante o estudo deste livro, você deve estar em busca de mudança. Ser discípulo de Jesus significa que estamos sendo transformados à imagem dele. Deus quer tanto nos mudar que as pessoas ficam intrigadas, e isso nos dá a oportunidade de lhes falar sobre o Deus que está transformando nossa vida. Ensinar às pessoas sobre Cristo é essencial para um discípulo de Jesus. À medida que ensinamos os outros a amar e a obedecer a Jesus, estamos cumprindo seu mandamento de fazer discípulos. O objetivo de quem lidera deve ser instruir outros seguidores de Jesus a se tornarem ainda mais comprometidos, talentosos e equipados que o próprio líder. Quer você guie outros por intermédio deste livro, quer utilize outros meios de ensiná-los a serem seguidores de Jesus, tome como objetivo passar a vida levantando seguidores que deem tudo pela glória de Deus.

PARTE 1

A vida como discipulador

1

O que é um discípulo?

Dois mil anos atrás, Jesus caminhou até uma dúzia de homens e disse: "Sigam-me".

Imagine-se no lugar de um desses discípulos originais. Eram gente comum, como você e eu. Tinham empregos, famílias, *hobbies* e vida social. No dia em que Jesus os chamou, enquanto iam para o trabalho, nenhum deles fazia ideia de que sua vida mudaria de forma tão rápida e completa.

Os discípulos não tinham como entender plenamente onde estavam se metendo quando responderam ao chamado de Jesus. Quaisquer que fossem as expectativas, dúvidas, curiosidades, empolgação ou incertezas que sentiram, nada lhes poderia preparar para o que estava por vir. Tudo acerca de Jesus — seu ensino, compaixão e sabedoria, sua vida, morte e ressurreição, seu poder, autoridade e chamado — transformaria cada aspecto da vida deles a partir desse dia.

Em alguns poucos anos, esses homens simples ficaram diante de alguns dos mais poderosos governantes da terra, acusados de causar "alvoroço por todo o mundo" (At 17.6). O que havia começado como um simples ato de obediência ao chamado de Jesus acabou transformando a vida deles e, por fim, o mundo.

O que é um discípulo?

O que significa ser discípulo de Jesus Cristo? Como você descobrirá, a resposta é bastante simples, mas transforma sua vida por inteiro.

A palavra *discípulo* se refere a um estudante ou aprendiz. Nos dias de Jesus, os discípulos seguiam seu rabi (que significa "mestre") para onde ele fosse, aprendendo com seu ensino e sendo instruídos a fazer o que ele fizesse. Basicamente, o discípulo é um seguidor, mas é preciso entender esse termo, *seguidor*, de forma literal. Tornar-se um discípulo de Jesus consiste simplesmente em obedecer ao seu chamado para segui-lo.

Quando Jesus chamou seus primeiros discípulos, eles talvez não compreendessem para onde Cristo os levaria, nem o impacto que isso teria em sua vida, mas sabiam o que significava seguir. Eles entenderam o chamado de forma literal e começaram a ir para todo lugar onde Jesus ia e a fazer tudo o que ele fazia.

É impossível ser discípulo ou seguidor de alguém e não acabar ficando parecido com aquela pessoa. Jesus disse: "O discípulo não está acima do seu mestre, mas todo aquele que for bem preparado será como o seu mestre" (Lc 6.40). Este é o ponto central quando o assunto é ser discípulo de Jesus: nós o imitamos, damos continuidade ao seu ministério e, nesse processo, nos tornamos iguais ao mestre.

Por alguma razão, contudo, muitos passaram a acreditar que alguém pode ser "cristão" sem ser como Cristo. Um "seguidor" que não segue. Isso faz algum sentido? Muitas pessoas na igreja decidiram carregar o *nome* de Cristo e nada mais. Seria como se Jesus fosse até aqueles primeiros discípulos e dissesse: "Ei, caras, será que vocês se importariam de se identificar comigo de algum modo? Tipo, não se preocupem, eu realmente não me importo se vocês farão ou não as coisas que eu faço, se vão ou não vão mudar seu estilo de vida. Estou apenas à procura de pessoas que estejam dispostas a dizer que creem em mim e a se autodenominar cristãos". Fala sério!

Ninguém pode realmente acreditar que ser cristão se resume a isso. Por que, então, tantas pessoas vivem assim? Parece que nós perdemos de vista o que significa ser seguidor de Jesus. O conceito de discípulo não é difícil de entender, porém afeta tudo.

Como eu me torno um discípulo?

Para entender como se tornar um discípulo de Jesus Cristo, faz mais sentido começar por onde ele começou. Embora seja verdade que Jesus disse aos discípulos: "Sigam-me, e eu os farei pescadores de homens" (Mt 4.19), a Bíblia registra uma mensagem que ele proclamou antes dessa. Em Mateus 4.17, Jesus disse: "Arrependam-se, pois o Reino dos céus está próximo".

Tente ler essa frase de forma literal. Se alguém o advertisse de preparar-se porque um rei e seu exército estão chegando, o que você faria? Você se certificaria de que está pronto para enfrentá-lo. Agora, se não estivesse preparado para lutar contra esse rei, você faria o que fosse preciso para viver em paz com ele.

Arrepender-se significa "virar-se". Há aqui a ideia de mudar de direção e rumar para o lado oposto. Implica ação. Nesse contexto, Jesus estava dizendo às pessoas que se preparassem — que mudassem o que fosse preciso mudar — porque o reino de Deus (o reino dos céus) se aproximava.

Sendo assim, como nos preparamos para encarar esse reino celestial? Como nos certificamos de que estamos em paz com esse Rei que vem chegando?

Jesus diz que precisamos nos arrepender. Isso significa que todos precisamos nos virar, dar as costas à maneira como vivemos e pensamos atualmente. Romanos 3.23 explica que "todos pecaram e estão destituídos da glória de Deus". Todo leitor dessa frase fez coisas que são más e ofensivas a esse Rei. Adiante, Romanos explica que "o salário do pecado é a morte" (6.23). Por causa do nosso pecado, que é uma ofensa a Deus, devemos esperar a morte. Mas então surge uma maravilhosa verdade: "Mas Deus demonstra seu amor por nós: Cristo morreu em nosso favor quando ainda éramos pecadores" (Rm 5.8). Na verdade, a pena de morte que deveríamos receber desse Rei foi destinada a outra pessoa: o Filho do Rei, Jesus Cristo![1]

Na sequência, as Escrituras dizem: "Se você confessar com a sua boca que Jesus é Senhor e crer em seu coração que Deus o ressuscitou dentre os mortos, será salvo" (Rm 10.9). Somos salvos pela graça de Deus mediante a fé em Jesus Cristo. Tudo tem a ver com quem Jesus é e o que ele fez. Parte de nosso arrependimento consiste em deixar para trás a crença de que há algo que podemos fazer para salvar a nós mesmos. Tudo foi realizado por Jesus Cristo.

A ideia de que alguém pagou por nossos crimes soa estranha para nós, pois desafia nosso modo natural de pensar. E a ideia de que precisamos confiar no sacrifício de outra pessoa em nosso favor é algo ainda mais estranho. Mas entender isso — a despeito de ser algo esquisito para nós — é coerente com as ações de Deus ao longo das Escrituras.

Temos uma ilustração disso quando lemos o livro de Êxodo. Nessa história, Moisés adverte o faraó repetidas vezes acerca do que Deus faria se ele não se arrependesse. A narrativa atinge seu ápice quando Deus diz que traria a morte aos primogênitos de cada família caso eles não se arrependessem. Ao mesmo tempo, Deus diz ao povo que, se colocassem sangue de cordeiro nos umbrais de suas casas, o anjo do Senhor passaria por cima delas e não mataria o filho mais velho daquela família. Portanto, até mesmo na história do êxodo, as pessoas tiveram de confiar no sangue do cordeiro para salvá-las — e essa era a única maneira pela qual poderiam ser salvas.

O Senhor da graça

Tudo na salvação diz respeito à graça de Deus. Não há absolutamente nada que você possa fazer para se salvar ou conquistar o favor divino. Paulo disse: "Pois vocês são salvos pela graça, por meio da fé, e isto não vem de vocês, é dom de Deus; não por obras, para que ninguém se glorie" (Ef 2.8-9). Ninguém deve se vangloriar por suas boas ações, porque nossas obras não podem nos salvar. A salvação vem pela graça de Deus quando depositamos nossa fé em Jesus Cristo. Tudo o que a salvação requer é fé: você crê que Jesus é quem afirma ser?

Contudo, tenha em mente que, embora seja simples assim, não é algo fácil. A fé em Jesus Cristo significa crer que ele é o Senhor (Rm 10.9). Você já refletiu sobre o que a palavra *Senhor* significa? Por vezes nós pensamos em "Senhor" como sendo outro nome para Deus, mas, na verdade, trata-se de um título. Refere-se a um mestre, um proprietário, alguém que está em posição de autoridade. Sendo assim, dedique um minuto para pensar nisto: você realmente crê que Jesus é seu mestre? Acredita que ele é seu proprietário — que você de fato pertence a ele?

Paulo é bastante firme quando nos diz: "Acaso não sabem que [...] vocês não são de si mesmos? Vocês foram comprados por alto preço. Portanto, glorifiquem a Deus com o seu próprio corpo" (1Co 6.19-20). O mesmo Senhor que, por sua graça, nos libertou do pecado e da morte agora é nosso dono. Nós pertencemos a ele, e ele nos chama para viver em obediência às suas ordenanças.

O problema é que muitos na igreja querem "confessar que Jesus é o Senhor", porém não creem que ele seja seu mestre. Você enxerga a contradição óbvia que há nisso? O chamado para ser discípulo de Jesus Cristo está disponível para todos, mas não podemos escolher nossas próprias atribuições. Se Jesus é o Senhor, então ele define suas prioridades. Se Jesus é o Senhor, então sua vida lhe pertence. Ele tem um plano, uma agenda e um chamado para você. Não há como dizer a ele o que você vai fazer hoje ou pelo resto de sua vida.

Tudo se resume ao amor

Não fique com a impressão, porém, de que seguir Jesus consiste apenas em sacrifícios desprovidos de alegria. Mais que qualquer coisa, seguir Jesus se resume a dois mandamentos, os quais ele considerou os mais importantes na lei do Antigo Testamento:

> "Ame o Senhor, o seu Deus, de todo o seu coração, de toda a sua alma e de todo o seu entendimento". Este é o primeiro e maior mandamento. E o segundo é semelhante a ele: "Ame o seu próximo como a si mesmo". Destes dois mandamentos dependem toda a Lei e os Profetas.
>
> Mateus 22.37-40

Tudo se resume ao amor. Pedro soube expressar bem essa verdade para pessoas como nós, que não vimos Jesus na terra, mas o seguimos mesmo assim: "Mesmo não o tendo visto, *vocês o amam*; e apesar de não o verem agora, *creem nele e exultam com alegria indizível e gloriosa*" (1Pe 1.8).

Seguir Jesus não diz respeito a cumprir com zelo um conjunto de regras ou reunir a firmeza moral necessária para levar uma vida decente. Diz respeito a amar a Deus e dele desfrutar.

Mas antes que pensássemos que é possível amar a Deus e viver como quisermos, Jesus nos disse com bastante clareza: "Se vocês me amam, obedecerão aos meus mandamentos" (Jo 14.15). O amor a Deus no primeiro mandamento se torna prático no amor pelo próximo no segundo mandamento. João de fato nos diz que, se não amamos as pessoas que podemos ver, então não amamos a Deus, a quem não podemos ver (1Jo 4.20).

O amor verdadeiro diz total respeito ao sacrifício em favor daqueles que amamos: "Nisto conhecemos o que é o amor: Jesus Cristo deu a sua vida por nós, e devemos dar a nossa vida por nossos irmãos" (1Jo 3.16). Quando entendemos o amor sob essa luz, não fica difícil entender que o amor a Deus e a obediência a Jesus Cristo não podem ser dissociados. O amor de Deus nos transforma de dentro para fora e redefine cada aspecto de nossa vida.

Contabilize o custo

Durante o estudo deste livro, você será desafiado a refletir a respeito do que significa ser um seguidor de Jesus. Pensará no que a Bíblia ensina e nas implicações desses ensinamentos para seu estilo de vida atual. Todo o seu estudo visará a aplicação das verdades bíblicas em sua vida e o ensino para que outras pessoas façam o mesmo. Antes, porém, de sair ensinando os outros a serem discípulos de Jesus, você precisa examinar seu coração e assegurar-se de que *você* é um discípulo.

Leia as seguintes palavras de Jesus com calma e cuidado. Entenda que Jesus está falando estas palavras para você. Reflita no que Jesus está dizendo e em como isso deveria impactar sua maneira de lidar com este material e influenciar seu relacionamento com Cristo. Depois de ler esta passagem, use as perguntas para ajudá-lo a contabilizar os custos de seguir Jesus.

> Uma grande multidão ia acompanhando Jesus; este, voltando-se para ela, disse: "Se alguém vem a mim e ama o seu pai, sua mãe, sua mulher, seus filhos, seus irmãos e irmãs, e até sua própria vida mais do que a mim, não pode ser meu discípulo. E aquele que não carrega sua cruz e não me segue não pode ser meu discípulo.
>
> "Qual de vocês, se quiser construir uma torre, primeiro não se assenta e calcula o preço, para ver se tem dinheiro suficiente para completá-la? Pois, se lançar o alicerce e não for capaz de terminá-la, todos os que a virem rirão dele, dizendo: 'Este homem começou a construir e não foi capaz de terminar'.
>
> "Ou, qual é o rei que, pretendendo sair à guerra contra outro rei, primeiro não se assenta e pensa se com dez mil homens é capaz de enfrentar aquele que vem contra ele com vinte mil? Se não for capaz, enviará uma delegação, enquanto o outro ainda está longe, e pedirá um acordo de paz. Da mesma forma, qualquer de vocês que não renunciar a tudo o que possui não pode ser meu discípulo".
>
> Lucas 14.25-33

Questões práticas e desafiadoras

1. Neste momento de sua vida, você chamaria a si mesmo de seguidor de Jesus Cristo? Por quê? Você vê evidência de sua fé como descrita em Lucas 6.40?
2. Leia Efésios 2 com atenção e separe tempo para analisar as verdades ali presentes. Você confia na morte de Cristo para sua salvação? Já teve dificuldades com a crença de que precisa fazer algo para se salvar?
3. Avalie seu modo de seguir Jesus. Você pode dizer que o enxerga como seu Senhor, Mestre e Proprietário? Explique sua resposta.

4. Olhando para sua vida, como você diria que seu amor por Deus é demonstrado em suas ações? (Se você está com dificuldades para responder a essa pergunta, separe algum tempo para refletir acerca de mudanças que talvez precisem ser feitas em seu estilo de vida.)
5. Se você optar por obedecer ao chamado para seguir Jesus, qual será o custo disso? (Evite ser vago. Se seguir Jesus lhe custar bens materiais, confortos ou relacionamentos específicos, faça uma lista desses custos.)
6. O que poderia impedir você de seguir Jesus neste momento? Você está disposto a desprender-se dessas coisas, se for necessário?
7. Antes de concluir esta lição, passe algum tempo orando. Peça a Deus que trabalhe em seu coração e o prepare para o que vem adiante. Não é preciso ter todas as respostas, nem saber especificamente como Deus o usará. Ele simplesmente chama você para segui-lo aonde quer que ele possa levá-lo. Peça-lhe força para ir adiante e segui-lo qualquer que seja o custo. Em outras palavras, deposite nele sua fé.

Assista ao vídeo.

2

A ordem para fazer discípulos

Imagine qual seria sua reação se alguém voltasse dos mortos para conversar com você. É sério, tente imaginar isso neste exato momento. Como você se sentiria? Com que intensidade escutaria? Com que seriedade receberia as palavras?

Pense em como deve ter sido para os discípulos. Lá estavam eles, com seus afazeres diários, quando um misterioso mestre lhes pediu que o seguissem. Conforme seguiam, viram aquele homem desafiar líderes religiosos, abraçar pecadores, curar doentes e até ressuscitar mortos. Sabiam que não era um homem comum. Em diversos momentos e em diferentes medidas, as pessoas o viram como o Messias que traria salvação para o povo de Deus. Mas ele nunca se encaixou totalmente nas expectativas acerca do que o Messias deveria fazer ou dizer.

Os discípulos andaram ao lado de Jesus durante todo esse tempo. Testemunharam o cego recebendo visão. Ouviram Jesus perdoar os irremediavelmente injustos e restaurar a vida dos quebrantados. Ajudaram a distribuir pão e peixe enquanto Jesus milagrosamente alimentava as multidões. Os discípulos pareciam estar mais cientes da verdadeira identidade de Jesus em alguns momentos do que em outros, mas o seguiram até o fim, crendo que ele restauraria o destino do povo de Deus.

E então Jesus morreu. Simples assim. Acabou. Parecia que Jesus podia fazer qualquer coisa, que tinha poder sobre a doença, a morte, sobre cada pessoa e cada coisa. Com esse poder, Jesus estava trazendo a cura e a redenção que o mundo tão desesperadamente necessitava. Mas a esperança dos discípulos por um mundo melhor morreu quando Jesus foi pregado a uma cruz romana.

E, assim, por três dias os discípulos se sentiram confusos e desiludidos. Tudo aquilo pelo qual haviam esperado se fora. Talvez tivessem desperdiçado seu tempo seguindo aquele sujeito misterioso durante três anos.

Então aconteceu. Ele voltou dos mortos! Quando Jesus reapareceu ao terceiro dia, toda a esperança voltou rapidamente! Agora não poderia haver dúvida alguma! Agora que Jesus tinha vencido até mesmo o pecado e a morte, ele certamente restauraria este mundo adoecido. Jesus realizaria o que todos desejavam ver. Não haveria como detê-lo.

Mais uma vez, ele surpreendeu todos. Em vez de dizer-lhes que transformaria a terra de imediato, Jesus deu a seus discípulos uma ordem final e subiu para o céu. Assim mesmo, do nada. Quer saber qual era a ordem? Basicamente, Jesus lhes disse que o trabalho deles era terminar o que ele começou. Eles deveriam levar a mensagem que Jesus declarou e exemplificou dentro de Jerusalém e em seus arredores e espalhá-la até os confins da terra:

> Foi-me dada toda a autoridade nos céus e na terra. Portanto, vão e façam discípulos de todas as nações, batizando-os em nome do Pai e do Filho e do Espírito Santo, ensinando-os a obedecer a tudo o que eu lhes ordenei. E eu estarei sempre com vocês, até o fim dos tempos.
>
> Mateus 28.18-20

A Grande Comissão e a igreja

Sendo assim, o que vem à sua mente quando você reflete sobre a ordem de Jesus para fazer discípulos de todas as nações? Muitos leem essas palavras como se fossem designadas a inspirar pastores ou missionários no campo de missões. Mas já considerou a possibilidade de que a ordem de Jesus se destinasse a *você*?

Quando lemos o restante do Novo Testamento, vemos o povo de Deus trabalhando junto em obediência à ordem de Jesus. Eles buscavam as pessoas ao redor, chamando-as a seguir e obedecer a Deus. Os discípulos saíram para fazer discípulos, ensinando-os a obedecer a tudo o que Jesus havia ordenado e batizando-os. Alguns deles chegavam até a mudar para diferentes regiões ou viajavam para longe a fim de que pudessem falar a mais pessoas. Eles levaram as palavras de Jesus a sério — e de forma literal.

Quando lemos o Novo Testamento, não surpreende o fato de os seguidores de Jesus estarem focados em fazer discípulos — isso faz sentido à luz do ministério de Jesus e da Grande Comissão. A surpresa surge quando olhamos para nossas igrejas hoje à luz da ordem de Jesus para fazer discípulos.

Por que é que vemos tão pouco discipulado na igreja atual? Será que realmente acreditamos que Jesus disse a seus primeiros seguidores que fizessem discípulos, mas deseja que a igreja do século 21 faça algo diferente? Nenhum de nós afirmaria crer nisso, mas, por alguma razão, criamos uma cultura de igreja na qual os ministros pagos exercem o "ministério", e o resto de nós aparece, deposita algum dinheiro no gazofilácio e vai embora sentindo-se inspirado ou "alimentado". Afastamo-nos tanto da ordem de Jesus que muitos cristãos não têm a mínima noção do que seja fazer discípulos.

Mais que um programa

O que é, afinal, fazer discípulos? Temos de ser cuidadosos com a resposta a essa pergunta. Para alguns de nós, a experiência com a igreja tem sido tão centrada em programas que logo pensamos na ordem de Jesus para fazer discípulos em termos programáticos. Esperamos que nossos líderes criem algum tipo de campanha para fazer discípulos à qual nos associamos, nos comprometemos a participar por alguns meses e depois riscamos a Grande Comissão de nossa lista. Fazer discípulos, no entanto, é muito mais que um programa. É a missão de nossa vida. É o que nos define. Um discípulo é um discipulador.

Então, como isso funciona? A Grande Comissão fala de três ações para descrever o que envolve fazer discípulos: ir, batizar pessoas e ensiná-las a obedecer a tudo o que Jesus ordenou. Simples, certo? É incrivelmente simples no sentido de que não exige graduação, processo de ordenação ou algum tipo de *status* hierárquico. É tão simples quanto ir até as pessoas, incentivá-las a seguir Jesus (é disso que se trata o batismo) e depois ensiná-las a obedecer aos mandamentos de Cristo (os quais encontramos na Bíblia). O conceito em si não é nada difícil.

Todavia, muitas vezes as coisas mais simples de entender são as mais difíceis de pôr em prática. Vamos começar com o batismo. Em sua igreja, o batismo pode não parecer grande coisa. Talvez isso aconteça porque atualmente há muitos cristãos que nunca foram batizados. Nos primeiros dias da igreja, porém, o batismo tinha enorme importância. O batismo era um ato inconfundível que marcava a pessoa como seguidora de Jesus Cristo. Assim como Jesus morreu e foi sepultado na terra, também o cristão é mergulhado sob a superfície da água. Assim como Jesus saiu da tumba num corpo ressurreto, também o cristão emerge das águas do batismo como nova criatura.

Quando os cristãos do primeiro século tomaram essa medida de identificar a si mesmos com a morte e ressurreição de Jesus, estavam declarando publicamente a sua fidelidade a Cristo. Isso os assinalava de imediato para o martírio — toda a hostilidade que o mundo sentia em relação a Jesus agora seria direcionada para eles. O batismo era uma declaração de que a vida, a identidade e as prioridades de alguém estavam centradas em Jesus e sua missão. Dependendo do lugar onde vive, você talvez não veja a mesma reação à sua escolha de ser batizado, mas esse ato de identificação com Cristo é fundamental em qualquer parte do mundo.

Assim como o batismo é mais importante do que podemos imaginar, ensinar as pessoas a obedecer aos mandamentos de Jesus é uma tarefa sem igual. Falando com maior realismo, isso exigirá uma vida inteira de dedicação ao estudo das Escrituras e de investimento nas pessoas ao nosso redor. Nenhuma dessas coisas é fácil, tampouco pode ser removida da lista. O trabalho nunca está “concluído”. Dedicamo-nos continuamente aos estudos das Escrituras, de modo que possamos entender com cada vez mais clareza e profundidade o que Deus quer que saibamos, pratiquemos e passemos adiante. Nós investimos continuamente nas pessoas ao nosso redor, ensinando-as e andando com elas no meio das alegrias e provações da vida.

O processo de discipulado não tem fim. Parece-se muito com educar um filho: embora chegue o dia em que ele está pronto para se virar sozinho, o relacionamento não acaba. A amizade prossegue, e sempre haverá momentos em que a orientação e o incentivo se farão necessários. Além disso, Deus sempre coloca novas pessoas em nosso caminho, dando-nos novas oportunidades de reiniciar o processo de discipulado.

Seguir Jesus fazendo discípulos não é algo complicado de entender, mas pode ser bastante árduo. Muitas vezes, os ensinamentos de Jesus são difíceis de digerir. Ao partilhar esses ensinamentos, somos frequentemente rejeitados com sua mensagem. Jesus disse:

> Se o mundo os odeia, tenham em mente que antes me odiou. Se vocês pertencessem ao mundo, ele os amaria como se fossem dele. Todavia, vocês não são do mundo, mas eu os escolhi, tirando-os do mundo; por isso o mundo os odeia. Lembrem-se das palavras que eu lhes disse: Nenhum escravo é maior do que o seu senhor. Se me perseguiram, também perseguirão vocês. Se obedeceram à minha palavra, também obedecerão à de vocês.
>
> João 15.18-20

É bem fácil de entender, mas pode ser extremamente custoso.

Preparado para a obra do ministério

Infelizmente, fazer discípulos se tornou domínio exclusivo de pastores (e missionários). Vendedores vendem, agentes de seguros asseguram e ministros ministram. Pelo menos é assim que funciona na maioria de nossas igrejas.

Embora seja verdade que os pastores, diáconos e apóstolos do Novo Testamento fizessem discípulos, não podemos ignorar o fato de que o discipulado era função de todos. Os membros da igreja primitiva levavam muito a sério sua responsabilidade de fazer discípulos. Para eles, a igreja não era uma corporação administrada por um CEO. Ao contrário, eles comparavam a igreja a um corpo que só funciona de modo adequado quando todos os membros fazem sua parte.

Paulo explicou o funcionamento da igreja:

> E ele designou alguns para apóstolos, outros para profetas, outros para evangelistas, e outros para pastores e mestres, *com o fim de preparar os santos para a obra do ministério*, para que o corpo de Cristo seja edificado, até que [...] cresçamos em tudo naquele que é a cabeça, Cristo. Dele *todo o corpo, ajustado e unido pelo auxílio de todas as juntas*, cresce e edifica-se a si mesmo em amor, na medida em que cada parte realiza a sua função.
>
> Efésios 4.11-16

Paulo enxergava a igreja como uma comunidade de gente redimida onde cada pessoa está envolvida ativamente na obra do ministério. O pastor não é o ministro — pelo menos não da forma como costumamos pensar num ministro. O pastor é o preparador, e cada membro da igreja é um ministro.

As implicações disso são enormes. Não pense nisso como uma mera questão teológica. Enxergue a si mesmo nessa passagem. Paulo disse que é *seu* trabalho realizar a obra do ministério! Jesus ordenou que *você* fizesse discípulos!

A maioria dos cristãos pode oferecer inúmeras razões por que não podem ou não devem discipular outras pessoas: "Não me sinto chamado para o ministério"; "Já fiz uma bela oferta hoje; não tenho tempo para investir em outras pessoas"; "Não sei o suficiente"; "Tenho muitos problemas pessoais para resolver. Vou começar assim que puser minha vida em ordem".

Por mais convincentes que essas desculpas possam parecer, as ordens de Jesus não vêm com cláusulas de exceção. Ele não nos manda seguir, *a menos* que estejamos ocupados. Não nos chama para amar o próximo, *a menos* que não nos sintamos preparados. Tanto que, se você ler Lucas 9.57-62, encontrará vários indivíduos que dão desculpas por não poderem seguir Jesus. Leia a passagem e tome nota de como Jesus respondeu. Você pode se surpreender.

Deus o fez como você é; ele proveu e continuará a provê-lo com tudo de que você precisa para realizar a tarefa. Jesus ordenou que você olhasse para as pessoas ao redor e começasse a transformá-las em discípulos. Obviamente, só Deus pode transformar o coração das pessoas e fazer que queiram ser seguidoras. Tudo de que precisamos é ser obedientes em nosso esforço para ensiná-las, mesmo que ainda tenhamos muito a aprender.

O primeiro passo

Ser um discipulador significa olhar diferente para as pessoas em sua vida. Cada pessoa ao seu redor foi criada à imagem de Deus, e Jesus ordenou a cada uma delas que o seguisse. Deus colocou essas pessoas em sua vida a fim de que você fizesse todo o possível para influenciá-las. Seguir Jesus significa que você ensinará outras pessoas a segui-lo.

Dedique algum tempo para analisar seu primeiro passo para fazer discípulos. Deus colocou em sua vida alguém a quem você pode ensinar a seguir Jesus? De quem se trata? Talvez Deus esteja preparando em seu coração alguém que você não conhece muito bem. Seu primeiro passo pode ser construir um relacionamento com essa pessoa. Talvez seja alguém que você conhece há anos, e Deus o está chamando para elevar esse relacionamento a outro nível. Deus colocou você neste exato lugar, e as pessoas ao seu redor não estão aí por acaso. Tenha em mente que a Grande Comissão nos chama para todo tipo de pessoa, para aqueles dentro da igreja e também para os que estão fora, para aqueles que são parecidos conosco e para aqueles que são muito diferentes. Todos precisam entender quem Jesus é e o que significa segui-lo.

Trabalho conjunto para fazer discípulos

Deus quer que você enxergue os outros cristãos em sua vida como parceiros no ministério. Deus não chamou você para fazer discípulos de forma isolada: ele o colocou no contexto de um corpo de igreja de modo que você possa ser encorajado e incentivado pelas pessoas à sua volta. E você, por sua vez, é chamado a encorajá-las e incentivá-las.

À medida que inicia este estudo, pense em como você vai proceder. Existem cristãos em sua vida com quem você pode estudar este livro? Existem crentes maduros com quem pode discutir as perguntas que inevitavelmente surgirão? O objetivo é que você reflita neste material e permita que essas verdades penetrem sua mente, seu coração e seu estilo de vida. Porém, o efeito disso será muito maior se houver outras pessoas com quem conversar, gente que possa incentivá-lo e trabalhar com você. Os seres humanos não foram feitos para agir de maneira isolada.

Questões práticas e desafiadoras

1. Pare por um instante e leia Mateus 28. Tente se colocar no lugar dos discípulos enquanto presenciavam essas coisas e ouviam essas palavras de Jesus. Como você teria reagido?
2. Avalie sua experiência com a igreja à luz da ordem de Jesus para fazer discípulos. Você pode dizer que sua igreja se caracteriza pelo cumprimento dessa ordem? Explique sua resposta.
3. Você já se identificou com Jesus por meio do batismo? Se sim, por que, em sua opinião, esse foi um passo importante? Se não, o que impede você de ser batizado?
4. Você diria que está pronto para se comprometer a estudar as Escrituras e investir nas pessoas ao seu redor? Explique sua resposta.

5. Que desculpas costumam impedir você de seguir a ordem de Jesus de fazer discípulos? O que você precisa fazer para superá-las?
6. Deus colocou em sua vida, neste momento, alguém que você pode começar a transformar em discípulo de Jesus Cristo? Quem?
7. Que pessoa Deus colocou em sua vida como seu parceiro para fazer discípulos?
8. Passe algum tempo orando para que Deus transforme você num discipulador comprometido e eficiente. Confesse quaisquer sentimentos de inadequação e insegurança. Peça ao Senhor que capacite você para o ministério para o qual ele o está chamando. Peça-lhe que o conduza às pessoas certas com quem você deve trabalhar em parceria e às pessoas certas a serem discipuladas.

Assista ao vídeo.

3

O coração de um discipulador

Por que você quer fazer discípulos?

Você já se fez essa pergunta? A resposta é incrivelmente importante.

Como seguidores de Jesus Cristo, devemos estar focados em fazer discípulos. Se não agirmos pelos motivos corretos, porém, estamos desperdiçando nosso tempo. Pior ainda, podemos estar causando mais prejuízo que benefício. Ao longo dos tempos, ministrar a outros tem sido uma armadilha mortal para pessoas aparentemente devotas. Se Deus se importasse apenas com aparências e atividades religiosas, então qualquer esforço para ministrar o agradaria. Mas Deus nos diz repetidas vezes que ele se importa mais com o coração do que com o exterior.

Se Deus se importasse apenas com atividades religiosas, então os fariseus teriam sido heróis da fé. Eles estavam sempre empenhados no ministério: buscavam com vigor demonstrações exteriores de sua devoção, certificavam-se da santidade das pessoas ao redor e ensinavam zelosamente a lei de Deus. No entanto, os evangelhos apresentam os fariseus como os vilões da história. As palavras mais ásperas de Jesus foram reservadas para esses super-religiosos:

> Este povo me honra com os lábios, mas o seu coração está longe de mim. Em vão me adoram; seus ensinamentos não passam de regras ensinadas por homens.
>
> Mateus 15.8-9

Os fariseus dedicavam toda a sua vida às atividades religiosas. É bem provável que causassem forte impressão nas pessoas. Jesus, porém, apareceu e declarou que aquilo tudo era inútil! Um tema importante recorrente em toda a Bíblia é este: "O SENHOR não vê como o homem: o homem vê a aparência, mas o SENHOR vê o coração" (1Sm 16.7). É claro que Deus deseja que busquemos certas ações, mas, quando colocamos em prática seus mandamentos, nossa motivação faz toda a diferença.

Ensinar é perigoso

Pergunte a si mesmo novamente: por que você quer fazer discípulos?

Talvez você tenha relutado em sua decisão de ser um discipulador. Talvez a única razão pela qual ainda está trabalhando neste livro é que Jesus ordenou que fizéssemos discípulos, e você não quer ser desobediente. Você não está certo de que tem muito a oferecer, mas sabe que deveria deixar Deus usá-lo da maneira como ele deseja.

Ou talvez você sempre se tenha visto como um líder. Você tem uma mensagem que a igreja precisa ouvir, e está pronto para ensinar a qualquer um que queira aprender. Você não precisa de motivação; só quer estar mais bem preparado.

Para aqueles de vocês que estão relutantes, lembrem-se de que Deus quer que ministremos por alegria, e não por mera obrigação. Ele quer que desfrutemos do privilégio e do prazer de ministrar às pessoas, que sejamos alegres em nossa doação (2Co 9.7) e que lideremos os outros com disposição e avidez:

> Pastoreiem o rebanho de Deus que está aos seus cuidados. Olhem por ele, não por obrigação, mas de livre vontade, como Deus quer. Não façam isso por ganância, mas com o desejo de servir.
>
> 1Pedro 5.2

Para aqueles de vocês que estão ansiosos por liderar, lembrem-se de que Deus quer que sejamos cautelosos em nossa liderança. Lembrem-se de que estarão ensinando pessoas sobre a Bíblia e guiando-as para uma vida devota. A Bíblia encara o papel de professor com bastante seriedade, e nós deveríamos fazer o mesmo.

Tiago nos deu uma terrível advertência acerca do poder da língua: ele alertou que, embora possamos falar a verdade e trazer vida às pessoas, nossas palavras também podem causar enorme perigo. A língua é um fogo, diz Tiago, que "contamina a pessoa por inteiro, incendeia todo o curso de sua vida, sendo ela mesma incendiada pelo inferno" (Tg 3.6)!

Se você examinar seu coração e encontrar algum traço (por menor que seja) de desejo pela glória e pelo prestígio resultantes do ensino e da liderança de pessoas, dedique algum tempo para que o alerta de Tiago impregne você. Reflita acerca do que sua língua é capaz. Como discipulador, você pode causar um impacto enorme em favor do reino de Deus — ou pode conduzir as pessoas a um caminho horrível.

Amor em primeiro lugar

Paulo acrescenta um desafio de um ângulo diferente. Em belíssimas palavras, ele disse que obter conhecimento e poder — e até mesmo sacrificar nosso corpo — é completamente inútil sem o amor:

> Ainda que eu fale as línguas dos homens e dos anjos, se não tiver amor, serei como o sino que ressoa ou como o prato que retine. Ainda que eu tenha o dom de profecia e saiba todos os mistérios e todo o conhecimento, e tenha uma fé capaz de mover montanhas, se não tiver amor, nada serei. Ainda que eu dê aos pobres tudo o que possuo e entregue o meu corpo para ser queimado, se não tiver amor, nada disso me valerá.
>
> 1Coríntios 13.1-3

O resultado do ministério desprovido de amor é grave: "*serei como o sino que ressoa ou como o prato que retine... nada serei... nada disso me valerá*". Em outras palavras, mesmo as ações mais impressionantes e sacrificiais são inúteis se não forem motivadas pelo amor.

Você é o tipo de pessoa que ensinaria alguém sem amá-lo? Não se apresse para responder. Muitos bons pastores têm confessado que se surpreendem tão ocupados no ministério que realizam suas funções mecanicamente, sem de fato amar seu povo. A maioria de nós tem de trabalhar duro para manter o amor em primeiro plano.

O que você pensa e sente quando está num grupo de pessoas? Presta atenção excessiva àqueles que são ricos, atraentes ou têm algo que possam lhe oferecer? Preocupa-se com o que as pessoas pensam a seu respeito? Ou procura maneiras de amar e oportunidades de doar? Um sinal claro de um coração desprovido de amor consiste em enxergar pessoas como um meio para fins particulares — elas escutam você, concordam quando você precisa de afirmação, ficam fora do seu caminho quando você não precisa delas etc. Quando se tem esse tipo de mentalidade ao ensinar outras pessoas, o ensinamento está fadado a ser estéril e infrutífero. De acordo com Paulo, toda vez que tentamos ensinar alguém partindo dessa mentalidade, podemos ter certeza de que nos tornamos nada mais que um sino que ressoa ou um prato que retine; tornamo-nos irritantes e irrelevantes.

Cumprir a ordem de Jesus para fazer discípulos é mais que ter a teologia correta ou tópicos de ensino bem desenvolvidos. Lembre-se de que se você soubesse "todos os mistérios e todo o conhecimento", mas não tivesse amor, nada seria. Pouco antes, na mesma carta, Paulo disse: "Quem pensa conhecer alguma coisa, ainda não conhece como deveria. Mas quem ama a Deus, este é conhecido por Deus" (1Co 8.2-3). Não se trata do que você sabe ou do que *pensa* que sabe — trata-se de amor.

Se você não está disposto a fazer do amor a Deus e do amor às pessoas sua maior prioridade, então pare aqui. É sério, vá embora e não volte até ter resolvido esse ponto essencial. A falta de amor é a marca inconfundível da morte: "Sabemos que já passamos da morte para a vida porque amamos nossos irmãos. Quem não ama permanece na morte" (1Jo 3.14).

Fazer discípulos não tem a ver com reunir pupilos para ouvir o que ensinamos. O verdadeiro foco não é, de modo algum, ensinar pessoas — o foco é amá-las. O chamado de Jesus para fazer discípulos inclui ensinar pessoas a serem obedientes seguidores de Jesus, mas o ensino não é o objetivo final. Em última análise, trata-se de ser fiel ao chamado de Deus para amar as pessoas ao nosso redor. Trata-se de amar essas pessoas a ponto de ajudá-las a enxergar sua necessidade de amar e obedecer a Deus. Trata-se de levá-las ao Salvador e deixar que ele as liberte do poder do pecado e da morte e as transforme em seguidoras apaixonadas de Jesus Cristo. Trata-se de glorificar a Deus fazendo discípulos que ensinarão outras pessoas a amar e obedecer a ele.

Portanto, a pergunta é: quanto você se importa com as pessoas ao seu redor? Quando está no meio da multidão, interagindo com sua família ou conversando com irmãos em sua igreja, você ama essas pessoas e deseja vê-las glorificar a Deus em cada aspecto da vida? A avaliação honesta de suas intenções e o pedido para que Deus purifique seu coração precisam se tornar hábitos em sua vida.

Dedique algum tempo para analisar seus relacionamentos — família, amigos, colegas de trabalho, vizinhos etc. Seu modo de pensar e interagir com as pessoas que Deus colocou em sua vida pode dizer muita coisa sobre seu coração. Pense em seus relacionamentos e pergunte a si mesmo quanto você ama as pessoas à sua volta. Ao avaliar seus relacionamentos, você se tornará capaz de identificar áreas nas quais precisa trabalhar.

O ensino pelo exemplo

Uma das piores coisas que podemos fazer é ensinar verdades que não praticamos. Nós chamamos isso de hipocrisia, e é a crítica mais comum que os cristãos recebem em nosso país. Alguém poderia argumentar que talvez seja melhor não ensinar nada do que ensinar a verdade sem aplicá-la à própria vida. Jesus fez duras advertências aos líderes religiosos que estavam fazendo exatamente isso. Ele disse:

> Obedeçam-lhes e façam tudo o que eles [os mestres da lei e os fariseus] lhes dizem. Mas não façam o que eles fazem, pois não praticam o que pregam. Eles atam fardos pesados e os colocam sobre os ombros dos homens, mas eles mesmos não estão dispostos a levantar um só dedo para movê-los. Tudo o que fazem é para serem vistos pelos homens.
>
> Mateus 23.3-5

A hipocrisia já feriu muitos; portanto, vamos fugir dela.

Tiago também fez uma forte advertência contra esse tipo de pensamento. Ele disse que, se ouvimos a Palavra de Deus, mas não fazemos o que ela diz, estamos apenas enganando a nós mesmos (Tg 1.22-25). Na sequência ele diz que a religião sem ação prática é inútil (v. 26-27). Sejamos realistas: um professor enganado por si mesmo, praticando uma religião inútil, provavelmente não é o melhor candidato a discipulador.

Talvez a explicação mais clara do ensino pelo exemplo se encontre em Hebreus: "Lembrem-se dos seus líderes, que lhes falaram a palavra de Deus. Observem bem o resultado da vida que tiveram e imitem a sua fé" (13.7). O autor de Hebreus de fato nos chama para observar — literalmente, "examinar com cuidado" — o resultado do estilo de vida do professor. Podemos acabar tão envolvidos na análise das posições doutrinárias de alguém que ignoramos seu padrão de vida. Tal observação, no entanto, é algo fundamental, pois Hebreus nos convida a imitar a fé dessas pessoas. Se você vai fazer discípulos, precisa pôr sua fé em prática, de modo que as pessoas ao seu redor possam imitá-la.

Em razão disso, a opção por ser discípulo exige sua vida por inteiro. As atribuições de um discipulador são as mesmas que as de um discípulo de Jesus Cristo. Requer-se tudo. Significa seguir Jesus em cada aspecto da vida, buscando-o com sincera devoção.

Se você não está pronto para entregar sua vida por amor a Cristo, então não está pronto para fazer discípulos. Simples assim.

Isso não quer dizer que você precisa tornar-se perfeito e, então, começar a ensinar. A perfeição é um processo de toda a vida, não terá fim até a eternidade (Fp 1.6; 3.12-14). Significa, contudo, que você precisa "contabilizar o custo" (Lc 14.25-33) e permitir que a verdade de Deus transforme sua vida. Fazer discípulos tem tudo a ver com pessoas sendo transformadas pelo poder da Palavra de Deus. Se você deseja ver isso acontecer com os outros, precisa experimentar essa transformação em si mesmo.

Questões práticas e desafiadoras

1. Reserve um momento para examinar seu coração. Responda com toda a honestidade: por que você quer fazer discípulos? Você luta contra o desejo de fazer as pessoas perceberem seus atos?
2. Leia Tiago 3.1-12 e medite no alerta desse autor. De que modo essas poderosas palavras impacta você? Em que aspecto você precisa ajustar sua maneira de fazer discípulos?
3. Até este momento, você poderia dizer que seu desejo de fazer discípulos tem sido motivado pelo amor? Explique sua resposta.
4. Descreva seu amor pelas pessoas que Deus colocou em sua vida. Para qual evidência você pode apontar a fim de demonstrar que ama as pessoas ao seu redor?
5. Além de orar com fervor, quais medidas práticas você pode tomar para aumentar seu amor pelas pessoas?
6. É possível dizer que sua vida está sendo transformada pela verdade da Palavra de Deus? Explique sua resposta.
7. Que mudanças você precisa fazer para viver as verdades que ensinará às pessoas?

8. Não é fácil lidar com as coisas que você esteve pensando ao longo deste capítulo — aqui não há "soluções rápidas". Conclua esta lição orando para que Deus lhe dê a motivação adequada para fazer discípulos, aumente seu amor por ele e pelas pessoas ao seu redor e o capacite a viver de acordo com as verdades que ele o chamou a ensinar aos outros.

Assista ao vídeo.

PARTE 2

A vida como igreja

4

A vida na igreja

Nem toda cultura é individualista. No mundo ocidental, porém, tendemos a admirar os cavaleiros solitários. Nossos heróis são fortes e autossuficientes, e costumam andar sozinhos. Com muita frequência, a igreja ocidental se inclina para esse tipo de individualismo. Ouvimos o chamado de Jesus para tomar nossa cruz e segui-lo e decidimos seguir, a despeito do que outra pessoa diga ou faça. É claro, essa é a resposta correta, mas precisamos ser cuidadosos aqui. Embora *todo indivíduo* precise obedecer ao chamado de Jesus, não podemos seguir Jesus *como indivíduos.* O contexto apropriado para todo discipulador é a igreja. É impossível fazer discípulos à parte da igreja de Jesus Cristo. Veja isso sob a seguinte perspectiva: o Novo Testamento está cheio de mandamentos para fazer isso ou aquilo "uns pelos outros". Amem uns aos outros, orem uns pelos outros, encorajem uns aos outros etc. Sendo assim, como podemos ensinar as pessoas a "obedecer a tudo o que eu lhes ensinei" se elas não têm alguém para amar e encorajar ou por quem orar? É impossível cumprir o "uns pelos outros" sozinho. É impossível seguir Jesus sozinho. Não podemos afirmar que seguimos Jesus se negligenciamos a igreja que ele criou, a igreja pela qual ele morreu, a igreja a quem ele confiou sua missão.

Nesta lição e nas duas seguintes, situaremos o princípio de fazer discípulos bem no centro do contexto da igreja. Este capítulo examinará o modo pelo qual somos chamados a viver juntos como igreja. Ensinar pessoas a obedecer ao que Jesus ordenou é um processo interminável que exige o entrelaçamento de nossa vida com a dos cristãos à nossa volta. Como discipuladores, nos uniremos a outros cristãos, os ajudaremos a superar o pecado que os prende e os estimularemos a serem mais eficazes ao fazer discípulos.

Os dois capítulos seguintes focalizarão o chamado para alcançar as pessoas em nosso meio e dali para o resto do mundo. Em cada caso, nosso chamado é fazer discípulos, e devemos aprender a cumprir esse chamado por meio do veículo ordenado por Deus, a igreja.

Comprometa sua vida com a igreja

Em primeiro lugar, asseguremo-nos de que não somos culpados de subestimar a igreja de Deus. Ela não é um clube social; não é um edifício; não é uma opção. A igreja é vida e morte. A igreja é a estratégia de Deus para alcançar nosso mundo. O que fazemos dentro da igreja importa. Temos a tendência de equiparar a vida da igreja com eventos e programas. Não são essas coisas, porém, que constituem uma igreja. Programas são úteis na medida em que facilitam a vida e a missão eclesiástica, mas não podemos igualar eventos de bom público com a saúde da igreja.

Deus se importa com a nossa maneira de amar uns aos outros e de buscar sua missão. A igreja é um grupo de pessoas redimidas que vivem e servem juntas de tal forma que sua vida e comunidade são transformadas. O que importa é sua interação com as pessoas que Deus colocou em sua vida. Se você não está conectado a outros cristãos, servindo e sendo servido, incentivando e sendo incentivado, então você não está vivendo como Deus deseja, e a igreja não está funcionando como ele pretendia.

Ao longo de toda a Bíblia, vemos retratos da igreja global (que inclui todos os seguidores de Jesus em todos os lugares) e da igreja local (que inclui os seguidores específicos de Jesus numa localidade específica). Das cento e tantas vezes em que a palavra "igreja" é mencionada no Novo Testamento, pelo menos noventa delas se referem às reuniões locais de crentes que se juntavam para comunhão e missão. Deus pretende que cada seguidor de Jesus seja parte dessas reuniões, sob a liderança servidora de pastores que conduzem a igreja para a glória de Deus.

Apesar da clara prioridade que a Bíblia põe sobre os crentes a esse respeito, muitos seguidores de Cristo tentam viver a vida cristã distantes do compromisso sério e pessoal com a igreja local. As razões são diversas. Somos autoconfiantes e autossuficientes, e o que a Bíblia diz sobre dependência mútua, submissão e responsabilidade para com outros nos assusta. Muitas vezes, somos indecisos, saltando de uma igreja para outra à procura do "lugar perfeito" e das "pessoas perfeitas". Muitos de nós foram feridos no passado por coisas que aconteceram conosco ou à nossa volta na igreja, e outros de nós simplesmente não enxergam a importância de estar especificamente ligado a uma igreja local.

Mas a Bíblia diz que a igreja local é importante. Deus confiou às igrejas locais líderes tementes que nos ensinam sua Palavra e se importam com nossa alma (Hb 13.17; 1Pe 5.1-8; 1Tm 3.1-13; 5.17; Tt 1.5-9). Deus nos juntou em igrejas locais para impedirmos uns aos outros de pecar e desviar-nos de Cristo (Gl 6.1-5; Mt 18.15-20). Deus ordenou que nos reuníssemos em assembleias locais onde pregamos a Palavra de Deus, celebramos a ceia do Senhor, batizamos novos convertidos, oramos e encorajamos uns aos outros (At 2.42; Hb 10.24-25). Depois nós nos espalhamos para cuidar dos crentes e partilhar o evangelho com os descrentes (At 2.43-47). Fica claro que ser discípulo e discipulador implica comprometer nossa vida com a igreja local, onde nos juntamos a outros cristãos, debaixo de liderança bíblica, para crescer à semelhança de Cristo e expressar o amor dele ao mundo.

Levando os fardos pesados uns dos outros

Na Parte 1, dissemos que todo cristão é um ministro. Paulo disse que Deus deu à igreja pastores, mestres e presbíteros para que ensinassem o restante da igreja a ministrar. A função do pastor não é realizar todo o ministério numa igreja, mas, sim, "preparar os santos para a obra do ministério, para que o corpo de Cristo seja edificado" (Ef 4.12).

A pergunta, então, passa a ser: para quem você deveria estar ministrando, e como? Não se sinta sufocado pela tarefa de ministrar aos outros. Trata-se apenas de servir fielmente às pessoas que Deus colocou em sua vida. Paulo explica:

> Irmãos, se alguém for surpreendido em algum pecado, vocês, que são espirituais, deverão restaurá-lo com mansidão. Cuide-se, porém, cada um para que também não seja tentado. Levem os fardos pesados uns dos outros e, assim, cumpram a lei de Cristo.
>
> Gálatas 6.1-2

A ideia de ministrar soa intimidadora até que se desenvolva uma visão realista do que de fato se trata o ministério. Talvez você não tenha recebido o dom de pregar sermões, abrir uma clínica de reabilitação ou dirigir um retiro de casais. Mas você conhece pessoas que lutam contra o pecado? Conhece pessoas que estão carregando fardos? Se a resposta é "sim", então seus primeiros passos na direção do ministério são fáceis: ajude-as.

Não gostamos de nos envolver nos problemas alheios. Nossos próprios problemas já causam confusão suficiente — por que complicar as coisas assumindo as tralhas de outros? Porém, a razão é simples: Deus nos chama para ajudar as pessoas. Ele nos criou para agirmos assim. Seus problemas não são apenas seus problemas — em última análise, eles pertencem ao corpo da igreja na qual Deus o colocou. Você é chamado para encorajar, incentivar e ajudar os outros cristãos em sua vida, e eles são chamados a fazer o mesmo por você. Se você ficar esperando até que suas questões pessoais se resolvam antes de ajudar os outros, isso jamais vai acontecer. Essa é uma armadilha na qual muitos têm caído, sem perceber que a nossa santificação acontece *conforme* ministramos às pessoas.

Abaixo da superfície

Temos de ser claros acerca do que significa ajudar as pessoas que Deus colocou em nossa vida. Inclinamo-nos para soluções que são rápidas e fáceis. Quando se trata de ajudar pessoas, muitas vezes lidamos de modo superficial com o problema, sem nunca chegar ao fundo da questão. Quando alguém está sofrendo, pode ser que emprestemos um livro que nos ajudou em momentos difíceis. Mas quantos de nós reservaríamos tempo para de fato investir na vida de outra pessoa? Será que ouviríamos de forma consistente e ofereceríamos ajuda sempre que encontrássemos uma necessidade que fôssemos capazes de atender?

Quando ficamos sabendo, por exemplo, que uma amiga está lutando contra o pecado, somos rápidos para explicar por que o pecado é nocivo e lhe dizemos que oraremos por ela (quer seja verdade quer não). Mas quantos de nós levaríamos o pecado a sério a ponto de andar ao lado dessa amiga enquanto ela trabalha com as questões envolvidas?

Não é que os cristãos sejam indiferentes. Com frequência, nós de fato queremos ajudar as pessoas como for possível, mas ficamos tão focados em encontrar uma solução rápida para o comportamento externo que ignoramos o problema real. Eis um exemplo: se um amigo luta contra o sentimento de raiva, descobrimos o que o deixa irritado e, então, o afastamos das coisas que provocam sua ira (por exemplo, não dirigir durante a hora de pico, interagir o menos possível com o chefe, evitar conversas sobre política). Alterar a situação externa, porém, não altera o coração. Na verdade, a raiva está enraizada no coração desse amigo — e encontrará uma forma de expressar-se mesmo que as circunstâncias mudem.

Quando os discípulos de Jesus começaram a comer sem realizar os rituais de limpeza necessários, os fariseus os acusaram de contaminarem a si mesmos. A resposta de Jesus nos convida a olhar para além do exterior a fim de ver o que está acontecendo no coração:

> "Não percebem que nada que entre no homem pode torná-lo 'impuro'? Porque não entra em seu coração, mas em seu estômago,

> sendo depois eliminado." Ao dizer isso, Jesus declarou puros todos os alimentos.
>
> E continuou: "O que sai do homem é que o torna impuro. Pois do interior do coração dos homens vêm os maus pensamentos, as imoralidades sexuais, os roubos, os homicídios, os adultérios, as cobiças, as maldades, o engano, a devassidão, a inveja, a calúnia, a arrogância e a insensatez. Todos esses males vêm de dentro e tornam o homem impuro".
>
> Marcos 7.18-23

Toda luta contra o pecado com que podemos deparar em nossa vida, ou na vida de pessoas ao nosso redor, está representada na lista que Jesus apresenta aqui: pensamentos maus, imoralidade sexual, roubo, homicídio, adultério, cobiça, maldade, engano, devassidão, inveja, calúnia, arrogância e insensatez. Jesus disse que essas coisas vêm de dentro. Em outras palavras, se tentarmos lidar com esses problemas regulando as circunstâncias ou comportamentos de alguém, desperdiçaremos nosso tempo. Essas coisas vêm do coração do homem. Qualquer ajuda que podemos oferecer às pessoas que lutam contra o pecado precisa visar a transformação do coração, e não do comportamento.

Transformado pelo evangelho

Sendo assim, como mudamos o coração de alguém? É impossível. Podemos até conter as explosões de raiva de uma pessoa amarrando-a ou amordaçando-a, mas não temos poder para mudar seu coração.

É nesse momento que o plano divino de redenção entra em cena. O evangelho não diz respeito apenas a "sermos salvos", como se bastasse fazer uma oração para que imediatamente fôssemos transportados para o céu. Deus descreve a "salvação" e a transformação na vida cristã da seguinte maneira:

> Darei a vocês um coração novo e porei um espírito novo em vocês; tirarei de vocês o coração de pedra e lhes darei um coração de carne.

> Porei o meu Espírito em vocês e os levarei a agirem segundo os meus decretos e a obedecerem fielmente às minhas leis.
>
> Ezequiel 36.26-27

Esse é um acontecimento cataclísmico. "Ser salvo" não consiste em fazer uma oração e depois prosseguir a vida como se nada tivesse acontecido. Não, quando Deus entra em nossa vida, somos mudados de dentro para fora.

A boa notícia é que Deus agiu na pessoa de Jesus Cristo. Por intermédio da vida, da morte e da ressurreição de Jesus nós somos transformados e renovados. Nosso problema reside no centro de nosso ser, mas Deus transforma nosso coração. Deus literalmente põe seu Espírito dentro de nós e nos transforma a partir do nosso interior.

Assim, quando andarmos ao lado das pessoas feridas e quebrantadas que Deus colocou em nossa vida, vamos nos lembrar de onde vem nosso poder. Não se trata de meras questões físicas que podemos corrigir com trabalho duro. São questões espirituais que vão se aprofundando além do que podemos imaginar. Contudo, Deus nos fornece tudo de que precisamos para cumprir seu chamado. O poder de transformar corações e mudar vidas vem do Espírito Santo (Jo 6.63), por meio da Palavra de Deus (2Tm 3.16-17) e da oração (Tg 5.16-18). Quando usamos as Escrituras para dar conselhos aos outros, há poder (Hb 4.12). Quando oramos apaixonadamente pela mudança de coração, há poder. Não podemos remover a luxúria do coração de alguém por nossos esforços, mas temos o Espírito de Deus agindo através de nós. Por meio do evangelho, as pessoas podem ser livres do poder escravizador do pecado (Rm 6). Por meio do evangelho, somos capacitados a arrancar o pecado de nosso coração e viver de maneira agradável a Deus (Gl 5; Rm 8). Paulo prometeu: "Pois se vocês viverem de acordo com a carne, morrerão; mas, se *pelo Espírito* fizerem morrer os atos do corpo, viverão" (Rm 8.13).

Levar os fardos uns dos outros não é fácil, mas tampouco é algo opcional. Temos de enfrentar esse desafio: um lugar cheio de indivíduos isolados sentindo-se derrotados por seu pecado e desprovidos de alegria nunca foi o plano de Deus para a igreja. Jesus pretendia que sua igreja avançasse poderosamente pelos séculos, cheia de amor e alegria. Ele foi claro: "... edificarei a minha igreja, e as portas do Hades não poderão vencê-la" (Mt 16.18).

Paulo nos lembra de que o Espírito daquele que ressuscitou Jesus Cristo dos mortos está trabalhando por meio de nós (Ef 1.15-23; Rm 8.11). Deus pretende que sua igreja seja um corpo unido, e não um aglomerado de indivíduos isolados. Ele nos capacitou para levar verdade e transformação à vida das pessoas ao nosso redor, e não para ficarmos satisfeitos com distribuição de livros e votos amigáveis. Se a igreja deseja cumprir a missão dada por Deus em nosso mundo moderno, devemos assumir com seriedade nossa responsabilidade mútua. Teremos de aceitar o chamado de levar o fardo uns dos outros — mesmo quando é difícil, mesmo quando estamos com a cabeça cheia.

Portanto, quando uma irmã em Cristo estiver falando palavras nocivas sobre outro membro do corpo da igreja, reservaremos tempo para ajudá-la a enxergar o orgulho e a falta de amor em seu coração e andaremos ao seu lado quando ela pedir ao Espírito que transforme seu coração acerca dessa questão. Quando encontrarmos um irmão em Cristo que está escravizado a desejos lascivos, o ajudaremos a entender o temor do Senhor e clamaremos para que Deus transforme seus desejos egoístas em amor genuíno. Mesmo não sendo graduado em psicologia, ainda assim você é chamado a estar com os cristãos ao seu redor conforme eles buscam a cura e a transformação que só vêm pelo poder do Espírito Santo.

Cada membro fazendo sua parte

A missão de sua igreja é importante demais para ficar a cargo de outros. No momento em que começa a acreditar que sua igreja pode ser saudável enquanto você fica sentado lá no canto, você desiste do plano divino de redenção. Deus o colocou numa situação singular porque deseja que você ministre com e para outros cristãos que ele pôs ao seu redor. A visão de Paulo para a igreja incluía todos os crentes:

> Antes, seguindo a verdade em amor, cresçamos em tudo naquele que é a cabeça, Cristo. Dele todo o corpo, ajustado e unido pelo auxílio de todas as juntas, cresce e edifica-se a si mesmo em amor, na medida em que cada parte realiza a sua função.
>
> Efésios 4.15-16

O objetivo da igreja é crescer em todos os aspectos à semelhança de Cristo. Mas a igreja nunca atingirá essa meta a menos que "cada parte realize a sua função". Isso não significa que todos nós agiremos do mesmo modo, mas, sim, que todos temos responsabilidades. Significa também que, se você não é ativo na igreja, está ferindo seus irmãos e irmãs. Uma perna paralisada obriga o resto do corpo a trabalhar redobrado para compensar sua inatividade. Deus o criou exatamente como você é, e o Espírito o capacitou com habilidades espirituais singulares, ou "dons". Juntos, funcionamos como um corpo. Enquanto você e cada pessoa em sua igreja não estiverem ministrando ativamente para as pessoas ao redor, a região onde você vive não terá um retrato preciso do que a igreja foi criada para ser.

Quando saímos de nosso caminho individual e começamos a carregar os fardos das pessoas à nossa volta, isso consome tempo e muitas vezes nos perturba a mente. Mas é necessário. Ajudar pessoas a mudar: é disso que trata o discipulado. Quando ajudamos outros cristãos a seguir Jesus, confrontamos as tentações, as mentiras e os ídolos que os prendem. Não será fácil, mas sabemos o que Jesus realizou e como a história terminará. Temos um papel a desempenhar no plano divino de redenção. Nem sempre será divertido, mas temos de ser fiéis ao chamado de Deus.

Questões práticas e desafiadoras

1. Em sua opinião, por que o Novo Testamento dá tanta ênfase à necessidade de os cristãos serem membros (ou partes) comprometidos(as) da igreja local? Como essa prioridade pode ser mais bem refletida em sua vida?
2. Leia Efésios 4.1-16. De que modo essa passagem impacta sua maneira de enxergar a responsabilidade que você tem para com outros cristãos na igreja?
3. Reflita sobre seu cenário específico e identifique algumas oportunidades que Deus lhe oferece para ministrar às pessoas ao seu redor. Você tem aproveitado essas oportunidades?
4. Dedique alguns minutos para meditar em Gálatas 6.1-2. O que é ajudar a levar o fardo de alguém? Neste exato momento, existe alguém em sua vida a quem você deveria ajudar desse modo?
5. Em sua opinião, por que tendemos a enfocar as circunstâncias e o comportamento exterior quando tentamos ajudar as pessoas a mudar?
6. Com suas palavras, tente explicar por que é fundamental atingir o âmago do problema em vez de apenas lidar com as circunstâncias e o comportamento.
7. De que modo a verdade do evangelho e o poder do Espírito Santo impactam nossa maneira de ajudar as pessoas a mudar?
8. Você diria que sua igreja se caracteriza mais por derrota e isolamento ou por poder e transformação do Espírito Santo? Explique sua resposta.
9. Que medidas você pode tomar neste exato momento para ajudar sua igreja a funcionar de modo mais parecido com o planejado por Deus?
10. Você pode dizer que está desempenhando seu papel no corpo de Cristo? Se sim, quanto ainda precisa crescer? Se não, está pronto para se envolver? Que medidas você precisa tomar?

11. Passe algum tempo em oração. Peça a Deus que lhe dê confiança no poder do Espírito para que você seja usado para ministrar às outras pessoas. Peça-lhe sabedoria para saber o que fazer e discernimento para reconhecer pessoas que precisam de ajuda. Ore pedindo que Deus use você e sua igreja para dar continuidade ao plano divino de redenção no contexto em que você se encontra.

Assista ao vídeo.

5

A igreja local

Você está aqui para dar continuidade à missão que Jesus nos deixou: "Vão e façam discípulos de todas as nações" (Mt 28.19). Mas você não pode fazer isso sozinho, nem se espera que o faça. Deus quer que trabalhemos juntos com os cristãos que ele pôs entre nós a fim de trazer cura e transformação para a vida do mundo. O plano de redenção implica o trabalho da igreja em unidade para alcançar as pessoas ao redor.

Dentro da igreja, isso significa que nós nos dedicamos aos membros de nosso corpo eclesiástico. Temos a responsabilidade de incentivar uns aos outros, amar uns aos outros e servir uns aos outros de várias maneiras. Quando cada membro encara isso com responsabilidade, a igreja cresce de modo saudável (Ef 4.16). E, quando a igreja funciona como Deus pretendia, os resultados são nada menos que milagrosos. A igreja se torna um lugar de cura, um retrato de como Deus quer que a humanidade viva.

Essa visão, porém, vai além de pessoas dentro de um corpo de igreja. Não amamos e servirmos os cristãos à nossa volta com o intuito único de manter igrejas saudáveis. O plano de Deus é maior que isso. Implica atingir o mundo todo. Seu plano de redenção não estará concluído quando estivermos satisfeitos com aqueles que já estão no interior do templo. Uma igreja focada em seu interior não é uma igreja saudável. É uma igreja à beira da morte. Biblicamente, a igreja que deixa de olhar para o mundo não é de fato igreja.

Jesus foi claro acerca de seu propósito na terra: "Pois o Filho do homem veio buscar e salvar o que estava perdido" (Lc 19.10).

Da mesma forma, nosso chamado tem como foco alcançar aqueles que não conhecem Deus:

> Vocês são a luz do mundo. Não se pode esconder uma cidade construída sobre um monte. E, também, ninguém acende uma candeia e a coloca debaixo de uma vasilha. Ao contrário, coloca-a no lugar apropriado, e assim ilumina a todos os que estão na casa. Assim brilhe a luz de vocês diante dos homens, para que vejam as suas boas obras e glorifiquem ao Pai de vocês, que está nos céus.
>
> Mateus 5.14-16

Nosso foco não se volta para dentro. Nós vivemos em meio a um ambiente ameaçador, mas somos mais semelhantes a um farol do que a um abrigo antibombas. Não somos chamados a nos esconder dos problemas, mas, sim, a guiar pessoas pelo caminho. Não podemos cumprir nossa missão a menos que sirvamos uns aos outros em amor, mas nosso objetivo final não é a vida conjunta num círculo restrito. A igreja de que você faz parte foi inserida por Deus no meio de uma comunidade mais ampla para que ele pudesse espalhar seu amor, sua esperança e sua cura para a vida das pessoas ao redor.

Conhecidos pelo amor

Nós sabemos que devemos amar uns aos outros. Os dois grandes mandamentos de Deus são amar a Deus e amar as pessoas (Mc 12.28-31). O amor é fundamental para o que significa ser seguidor de Jesus, e deveria ser o que nos motiva a alcançar o mundo que nos cerca. A única razão por que podemos amar alguém é que Deus nos amou primeiro (1Jo 4.19). Somos transformados pelo amor "porque Deus derramou seu amor em nossos corações, por meio do Espírito Santo que ele nos concedeu" (Rm 5.5).

Mas qual é o propósito desse amor? O amor deveria caracterizar nossa maneira de interagir uns com os outros. Mas por quê? Porque é assim que o mundo nos reconhecerá:

> Um novo mandamento lhes dou: Amem-se uns aos outros. Como eu os amei, vocês devem amar-se uns aos outros. Com isso todos saberão que vocês são meus discípulos, se vocês se amarem uns aos outros.
>
> João 13.34-35

Digamos que você passe três anos seguindo Jesus intimamente e estudando aos pés dele. Isso faria uma diferença em sua vida, certo? Outras pessoas olhariam para sua vida e perceberiam a mudança. Algo em você sinalizaria sua conexão com Jesus. Mas a diferença não deve estar apenas em nosso ensino, nem mesmo em nosso propósito de santidade. As pessoas deveriam notar um amor como jamais viram.

Jesus disse que seus discípulos devem parecer diferentes por causa do amor. Algo na maneira como amamos as pessoas deve sinalizar ao mundo que pertencemos a Jesus. Nossa missão inclui pregação, encorajamento, repreensão, serviço, estudo, sofrimento e muitas outras coisas. Porém, se essas atividades não forem manifestações de amor, então teremos perdido o foco.

Uma comunidade convincente

Na noite em que foi traído, Jesus orou por seus discípulos. Aquele era um momento crucial para eles, e Jesus orou pedindo que fossem fortalecidos, centrados e protegidos. Interessante notar que Jesus não orou apenas por seus discípulos, mas "também por aqueles que crerão em mim, por meio da mensagem deles". Em outras palavras, *Jesus orou por nós.* Preste bastante atenção à oração dele em nosso favor:

> Minha oração não é apenas por eles. Rogo também por aqueles que crerão em mim, por meio da mensagem deles, para que todos sejam um, Pai, como tu estás em mim e eu em ti. Que eles também estejam em nós, para que o mundo creia que tu me enviaste. Dei-lhes a glória que me deste, para que eles sejam um, assim como nós somos um: eu neles e tu em mim. Que eles sejam levados à plena

> unidade, para que o mundo saiba que tu me enviaste, e os amaste como igualmente me amaste.
>
> João 17.20-23

Jesus orou para que fôssemos unidos. Por quê? Para que o mundo cresse que ele foi enviado por Deus e para que o mundo soubesse que Deus nos ama. Não é incrível que Jesus acreditasse que a unidade de sua igreja comunicaria tudo isso ao mundo? Tantas vezes nós presumimos que ter os argumentos certos e lógicos será suficiente, mas Jesus disse que o mundo será convencido pela nossa unidade. E, quando pensamos nisso, não temos todos ouvido as objeções dos incrédulos que apontam as divisões na igreja como um motivo para sua descrença?

Observe que a oração de Jesus presume que nossa vida conjunta como cristãos não estará oculta aos olhos das pessoas. Nossa unidade é algo que o mundo será capaz de ver. Hoje, a vida da igreja pode se tornar introvertida e privada a ponto de o mundo nunca conseguir ver nossa maneira de interagir uns com os outros. Se tudo o que fazemos é ajuntar-nos em determinado prédio particular aos domingos e, talvez, reunir-nos na casa de alguém para um estudo bíblico no meio da semana, o mundo jamais saberá se estamos unidos ou não. Se a vontade de Jesus para nós tem de ser realizada, devemos parar de nos esconder dos olhos do mundo descrente. Jesus orou por nossa unidade, o que significa que temos de enfocar o amor e o serviço mútuo. Mas precisamos fazer isso de tal forma que o mundo possa ver o que estamos fazendo e reconhecer isso como um retrato da unidade.

Quando foi a última vez que alguém lhe *perguntou* sobre sua fé? A maioria de nós teria de responder "nunca". A seu ver, por que as coisas são assim? O Novo Testamento considera que as pessoas serão capazes de olhar para a igreja e serão impactadas por aquilo que veem. Veja a exortação de Pedro:

> Quem há de maltratá-los, se vocês forem zelosos na prática do bem? Todavia, mesmo que venham a sofrer porque praticam a justiça, vocês

> serão felizes. "Não temam aquilo que eles temem, não fiquem amedrontados." Antes, santifiquem Cristo como Senhor em seu coração. Estejam sempre preparados para responder a qualquer pessoa que lhes pedir a razão da esperança que há em vocês. Contudo, façam isso com mansidão e respeito, conservando boa consciência, de forma que os que falam maldosamente contra o bom procedimento de vocês, porque estão em Cristo, fiquem envergonhados de suas calúnias.
>
> 1Pedro 3.13-16

Pedro estava falando sobre o sofrimento imerecido. O que deveria acontecer quando sofrêssemos por algo bom? Deveríamos honrar a Cristo em nosso coração e estar dispostos a explicar nossa esperança. Pedro presumiu que sofreríamos injustamente e, quando isso acontecesse, deveríamos responder com tanta esperança e alegria que as pessoas nos perguntariam a razão daquilo. Quando isso ocorresse, deveríamos estar prontos para proclamar o evangelho.

Mas as coisas não acontecem assim na maioria das igrejas. Não há nada convincente em relação à nossa vida conjunta. Nosso amor não é muito perceptível. Nossa unidade ou é inexistente ou está escondida atrás das portas da igreja. Quando sofremos, isso geralmente acontece porque fizemos algo errado. Nos raros casos em que provamos sofrimentos imerecidos, nossa reação é reclamar.

Em outras palavras, não oferecemos razão alguma para que alguém pergunte sobre o que nos faz únicos. Contudo, ainda sentimos a necessidade de evangelizar. Assim, acabamos parecendo vendedores que repassam um produto que não deu muito certo conosco. Devemos orar pedindo coragem de falar aos outros sobre Jesus, mas também trabalhar pelo amor e pela unidade que tornam a igreja atraente. Não devemos depositar nossa esperança em apuradas táticas de vendas. Não devemos desistir da estratégia de Jesus para alcançar pessoas apenas porque às vezes ela parece impossível. A estratégia de Jesus era a vida da igreja. Devemos nos apegar ao plano de Cristo e orar para que o amor sobrenatural comece a caracterizar nossas igrejas.

Jesus disse que o mundo nos reconheceria por nosso amor e unidade. Pedro afirmou que as pessoas seriam convencidas por nossa esperança. Mas será que *amor*, *unidade* e *esperança* são palavras que os descrentes usam quando descrevem sua igreja?

Um reino de sacerdotes

Como você verá nas lições sobre o Antigo Testamento, Deus fez uma aliança com Moisés e com o povo de Israel. Quando Deus falou com Moisés no monte Sinai, explicou como os israelitas se relacionariam com ele e o que significaria sua presença no meio do povo. O chamado e a identidade de Israel eram claros: "Vocês serão o meu tesouro pessoal dentre todas as nações. Embora toda a terra seja minha, vocês serão para mim um reino de sacerdotes e uma nação santa" (Êx 19.5-6). Ainda que toda a terra pertencesse a Deus, Israel lhe pertenceria de uma forma especial — ele era seu povo. Era uma nação santa, um grupo de pessoas separado para os propósitos de Deus. E era um reino de sacerdotes. Um sacerdote representava o povo perante Deus — intercedendo em favor dele — e representava Deus para o povo — mediando sua verdade, seus mandamentos e sua graça na vida do povo. Israel estabeleceu-se coletivamente como um reino formado de sacerdotes. Destacava-se no meio de todas as nações da terra por sua função sacerdotal, pronto para representar as nações para Deus e Deus para as nações.

Quando estudamos o Novo Testamento, percebemos que a igreja recebe a mesma vocação. "Vocês, porém, são geração eleita, sacerdócio real, nação santa, povo exclusivo de Deus, para anunciar as grandezas daquele que os chamou das trevas para a sua maravilhosa luz" (1Pe 2.9). No plano divino de redenção, a igreja é chamada a ser e fazer o que Israel não conseguiu ser nem fazer. O propósito da igreja é trabalhar em conjunto para alcançar o mundo. Nós fomos chamados das trevas para sua maravilhosa luz *a fim de* proclamar as grandezas de Deus a um mundo observador.

Sua igreja é importante

Somos chamados para fazer discípulos, e fortalecer os membros do corpo eclesiástico é parte importante dessa tarefa. Mas se não trabalhamos juntos para ajudar o mundo descrente a tornar-se seguidor de Jesus, perdemos o objetivo de nossa salvação. Deus abençoou Abraão para poder abençoar o mundo através dele (Gn 12). Se sua igreja não está abençoando ativamente a comunidade ao redor dela, então vocês estão ignorando a missão de Deus. Não podemos nunca esquecer que temos um papel a cumprir no plano divino de redenção. Você deveria se sentir honrado por saber que Deus tem um plano específico para a igreja a que você pertence.

Embora a igreja de Deus pretenda abranger o globo, não há igreja sem a igreja local. Deus inseriu você num contexto único, ao lado de um grupo único de cristãos, para o propósito de proclamá-lo ao mundo descrente ao seu redor. A maneira como você interage com essas pessoas é importante. Não importa se sua igreja é composta por milhares de membros ou se você se encontra com dois outros cristãos numa sala de estar. Não importa se sua igreja foi formada ontem ou cem anos atrás. Mas a maneira de sua igreja atuar importa. Sua igreja é essencial para o plano divino de redenção que está em andamento. Lembre-se de que Deus instituiu a igreja para cumprir sua missão, e ele não deixou um plano alternativo. Se sua igreja não busca a missão de Deus, então sua comunidade está perdendo a chance de ser exposta à esperança que Deus lhes oferece no evangelho. Muitas igrejas deixam escapar a vida vibrante que Deus quer que experimentemos enquanto buscamos juntos a sua missão.

A saúde de sua igreja é uma questão de vida e morte. Deus nos diz como a história terminará, mas ainda assim você tem um papel essencial a desempenhar. Você ajudará sua igreja a dar um passo à frente, a olhar para a comunidade ao redor com a compaixão de Jesus e a chamar as pessoas para o plano de redenção que transformou seu corpo eclesiástico? Há uma razão por que Deus colocou você nesta igreja neste momento da história. Você pode ajudar sua igreja a se tornar uma comunidade atraente que exibe o amor, a unidade e a esperança de Cristo.

Questões práticas e desafiadoras

1. Você diria que sua igreja é mais focada no interior ou no exterior? Explique sua resposta.
2. Leia 1Coríntios 13. Você poderia afirmar que a vida de sua igreja é caracterizada pelo amor? Explique sua resposta.
3. Que medidas você pode tomar para ser um exemplo de amor em sua igreja? Quer você seja um líder oficial da igreja quer não, como pode ensinar as pessoas a serem mais amorosas?
4. Leia João 17. Preste bastante atenção ao desejo de Jesus para seus seguidores. Você diria que sua igreja pode ser caracterizada por esse tipo de unidade? Explique sua resposta.
5. Dedique algum tempo para refletir acerca de sua igreja e seu contexto cultural. O que seria necessário para que sua igreja fosse unida e que essa unidade fosse exibida ao mundo descrente?
6. Você se sente como um vendedor quando compartilha sua fé? Que medidas você pode tomar para mudar isso?
7. Para sua igreja, o que significaria viver como uma comunidade convincente — um grupo de pessoas que demonstra amor, unidade e esperança de tal modo que o mundo descrente seja convencido a descobrir o que há de especial ali?
8. Leia 1Pedro 2.4-12. De que modo a descrição de Pedro para o chamado que temos como igreja impacta nossa maneira de pensar sobre nossa comunidade e de interagir com ela?
9. Passe algum tempo em oração. O chamado de Deus para a igreja em que você está inserido é importante demais para ser negligenciado, e é importante demais para ser realizado sem o poder do Espírito. Peça a Deus que encha a vida de

sua igreja com o Espírito Santo a ponto de sua comunidade perceber a diferença. Peça-lhe que prepare você para o papel que ele o chamou a desempenhar em seu plano de redenção.

Assista ao vídeo.

6

A igreja global

Por mais importante que seja a igreja local, o plano de Deus se estende para além de sua cidade. Por mais que Deus queira atingir as pessoas em sua comunidade, ele não pretende parar ali. O plano divino de redenção chega à sua vizinhança — e a cada cidade, aldeia e floresta em torno do globo!

Se sua igreja se reunir e alcançar cada indivíduo em sua comunidade, ainda assim vocês não terão concluído a missão de Deus. Não importa quão grande seja o reavivamento que experimentem, sua região ainda será apenas uma pequena parte do mundo ao qual Deus nos enviou para que o transformássemos mediante seu evangelho. Enquanto nossa visão da igreja não abranger o mundo inteiro, não teremos uma noção precisa da igreja de Deus nem de seu plano de redenção.

Todas as famílias da terra

Voltemos ao começo de tudo. Assim que o mundo bom criado por Deus foi corrompido pelo pecado de Adão e Eva, Deus fez a promessa de restaurá-lo. Ele disse à serpente:

> Porei inimizade entre você e a mulher, entre a sua descendência e o descendente dela; este lhe ferirá a cabeça, e você lhe ferirá o calcanhar.
>
> Gênesis 3.15

A devastadora influência do pecado afetaria toda a humanidade, e a luta por redenção ocorreria entre a descendência da mulher e a descendência da serpente. Por fim, essa promessa se tornou realidade na pessoa de Jesus Cristo, que esmagou a cabeça de Satanás ao morrer na cruz e ressurgir da tumba. Mas é importante perceber também que essa promessa pertence à raça humana. Não se restringe a um grupo étnico nem a uma localização geográfica. A promessa da redenção é tão ampla quanto a humanidade.

Deus reiterou essa promessa a Abraão:

> Farei de você um grande povo, e o abençoarei. Tornarei famoso o seu nome, e você será uma bênção. Abençoarei os que o abençoarem e amaldiçoarei os que o amaldiçoarem; e por meio de você todos os povos da terra serão abençoados.
>
> Gênesis 12.2-3

A bênção que Deus prometeu aqui se cumpriu mediante os descendentes de Abraão, o povo de Israel. No final, a bênção se concentrou sobre um israelita em especial, Jesus de Nazaré. Mas nós temos de lembrar que, embora a promessa viesse *por meio* de uma nação, a bênção sempre foi destinada a todos os povos.

Deus chamou a igreja para cumprir um papel em seu plano de redenção. E, uma vez que seu plano possui caráter global, a igreja precisa pensar além dos limites da cidade em que está. Você não pode estar em toda parte ao mesmo tempo, e seus recursos e mão de obra são limitados. Mas, para ser parte da missão de Deus na terra, é preciso pensar em termos globais.

Onde Cristo não foi revelado

Ao estudar o Novo Testamento, observamos a carreira missionária de Paulo. Embora pensemos em Paulo como teólogo ou pastor, ele foi um missionário em todos os aspectos da palavra. Boa parte do livro de Atos acompanha Paulo em suas viagens — muitas vezes em meio a grande perigo, dificuldade e perseguição — de um lugar a outro, proclamando o evangelho e formando igrejas entre aqueles que respondiam ao chamado de seguir Jesus.

Não foi por acaso que Paulo passou tanto tempo de sua vida espalhando o evangelho para novas regiões. Ele explicou que essa era sua paixão:

> Sempre fiz questão de pregar o evangelho onde Cristo ainda não era conhecido, de forma que não estivesse edificando sobre alicerce de outro. Mas antes, como está escrito:
>
> "Hão de vê-lo aqueles que não tinham ouvido falar dele, e o entenderão aqueles que não o haviam escutado".
>
> Romanos 15.20-21

Quando Paulo disse "como está escrito", estava citando Isaías 52, que descreve Jesus como o servo do Senhor que sofreria a fim de trazer cura para seu povo. Pouco antes, no mesmo capítulo, Deus explicou com clareza que, embora estivesse falando diretamente a Israel, sua salvação se destina a todas as nações, e que ele enviaria ministros especificamente para espalhar essas boas-novas:

> Como são belos nos montes os pés daqueles que anunciam boas novas, que proclamam a paz, que trazem boas notícias, que proclamam salvação, que dizem a Sião: "O seu Deus reina!" [...] O SENHOR desnudará seu santo braço à vista de todas as nações, e todos os confins da terra verão a salvação de nosso Deus.
>
> Isaías 52.7,10

Interessante notar que Paulo citou o início dessa passagem em Romanos. O apóstolo não apenas deixou claro que a salvação é oferecida para toda a humanidade, mas também que nós somos chamados a assumir um papel ativo na propagação do evangelho:

> Não há diferença entre judeus e gentios, pois o mesmo Senhor é Senhor de todos e abençoa ricamente todos os que o invocam, porque "todo aquele que invocar o nome do Senhor será salvo".
>
> Como, pois, invocarão aquele em quem não creram? E como crerão naquele de quem não ouviram falar? E como ouvirão, se

não houver quem pregue? E como pregarão, se não forem enviados? Como está escrito: "Como são belos os pés dos que anunciam boas-novas!"

Romanos 10.12-15

Então, o que significa isso tudo? O plano divino de redenção pertence a toda a humanidade, porém só aqueles que ouviram a mensagem são capazes de responder a ele. A ambição da vida de Paulo era levar essa mensagem de redenção àqueles que nunca ouviram falar dela.

Tenha em mente que a paixão de Paulo por uma propagação mais ampla do evangelho não era uma preferência pessoal. Era parte essencial da missão que Jesus deu à igreja. Lembre-se de que Cristo nos mandou fazer discípulos de todas as nações. Nossa interpretação do plano divino de redenção será equivocada se não o visualizarmos atingindo toda a humanidade.

Antes de o fim chegar

Este mundo não acabará até que o plano de Deus seja cumprido. Deus envia seu povo ao mundo a fim de incorporar e proclamar sua cura, e ele não vai encerrar a história humana antes que isso tenha sido realizado. Se o plano divino sempre consistiu em redimir pessoas de todas as nações da terra, então Deus não está contente apenas com igrejas saudáveis e felizes em nossa comunidade — e nós também não deveríamos estar. Embora devamos ansiar por ver Cristo glorificado em nosso contexto imediato, precisamos partilhar da paixão de Paulo em vê-lo glorificado em cada canto do globo.

Ainda que os detalhes que envolvem o fim do mundo e o prazo de muitas das profecias bíblicas sejam objeto de constante debate, Jesus deixou claro que a mensagem do evangelho não deve ser limitada a uma parte do globo: "E este evangelho do Reino será pregado em todo o mundo como testemunho a todas as nações, e então virá o fim" (Mt 24.14).

Muitos cristãos ficam surpresos ao ouvir que existem ainda inúmeros grupos de pessoas ao redor do mundo que nunca ouviram falar do nome de Jesus. Presumimos que as pessoas à nossa volta teriam acesso ao evangelho caso se interessassem. Mesmo que não haja alguma igreja ou algum cristão nas proximidades (embora seja difícil imaginar isso), ao menos todo mundo tem acesso às mensagens do evangelho na televisão, no rádio e na internet. Porém esse não é o caso em termos globais. Há pessoas no mundo que carecem avidamente de esperança, cura e salvação, mas não têm acesso à mensagem da redenção.

As perguntas de Paulo são tão relevantes hoje quanto eram dois séculos atrás: como invocarão aquele em quem não creram? E como crerão naquele de quem nunca ouviram falar? E como poderão ouvir sem que haja alguém para pregar? E como poderão pregar, a menos que sejam enviados?

Essas perguntas deveriam arder em nossa mente e em nosso coração. Não estaremos seguindo Jesus de maneira plena se não nos preocuparmos em proclamar o "evangelho do Reino [...] em todo o mundo" (Mt 24.14). Foi isso que Jesus fez enquanto esteve na terra. E agora, pelo poder de sua morte e ressurreição, ele nos chama a fazer o mesmo.

Trabalhando juntos pelo evangelho

Assim que começamos a desenvolver a paixão para que a glória de Cristo seja vista em todo o mundo, precisamos descobrir o papel que nos cabe desempenhar. Não se engane: todos os cristãos são chamados para se envolver na propagação do evangelho ao redor do planeta! Ninguém fica sem responsabilidades. Ninguém é chamado para uma vida separada das missões globais. Mas isso não significa que precisamos todos começar de imediato a fazer as malas para a selva.

Deus pode muito bem querer que você leve o evangelho para outros continentes. Muitos cristãos descartam depressa demais essa possibilidade. Algumas pessoas se sentem demasiadamente confortáveis com seu atual estilo de vida e jamais sonhariam em sacrificar seu conforto para a glória de Deus. Outros logo presumem que são chamados para o oposto, isto é, para algo mais normal. Não deveríamos fazer essas suposições. Você já disse genuinamente a Deus que se submeteria à vontade dele nessa área? Neste exato momento, você deveria perguntar a Deus se ele quer que você busque viver numa localidade diferente pela causa do evangelho. Pode parecer algo assustador, mas temos de confiar em Deus mais do que confiamos em nós mesmos. Estamos aqui na terra para a glória dele. Deus o abençoou para que você use tudo o que ele lhe deu para a glória dele, e não para a sua. Em última análise, devemos esperar que o plano de Deus nos guie a lugares aonde normalmente não iríamos.

Todos precisamos considerar a possibilidade de Deus estar nos chamando para segui-lo no campo missionário, mas temos de lembrar que este não é o único modo de trabalhar para o cumprimento do plano divino de alcançar todas as nações. Se nós decidimos que Deus quer que permaneçamos na região onde ele nos colocou neste momento, então precisamos usar nossos recursos para promover a missão ao redor do mundo. Mesmo que consideremos nossa prioridade a ministração para as pessoas diretamente à nossa volta, precisamos orar por nossos irmãos que trabalham em outras partes do planeta. A igreja está espalhada pelo mundo, e precisamos fazer tudo o que estiver em nosso poder para alcançar pessoas em todos os cantos do globo.

João escreveu uma carta para um cristão chamado Gaio, o qual ajudava missionários que viajavam para espalhar o evangelho mais amplamente. As palavras de João põem em perspectiva nosso papel como apoiadores dos missionários ao redor do mundo:

> Amado, você é fiel no que está fazendo pelos irmãos, apesar de lhe serem desconhecidos. Eles falaram à igreja a respeito deste seu amor. Você fará bem se os encaminhar em sua viagem de modo agradável a Deus, pois foi por causa do Nome que eles saíram, sem receber

ajuda alguma dos gentios. É, pois, nosso dever receber com hospitalidade irmãos como esses, para que nos tornemos cooperadores em favor da verdade.

3João 5-8

João disse que "é nosso dever receber com hospitalidade irmãos como esses" (isto é, os missionários), e que nesse suporte nós somos de fato "cooperadores em favor da verdade". Nenhum de nós está dispensado da tarefa de missões. Estamos todos juntos nisso. Todos temos um papel a desempenhar. Talvez nunca pisaremos numa selva remota, mas nossa vida deve ser dedicada ao cumprimento da vontade de Deus em nossos bairros, na África e em Papua-Nova Guiné. Quando aceitamos o chamado para seguir Jesus, comprometemo-nos a fazer discípulos em nossa cidade e no Oriente Médio. A questão não é se vamos ou não trabalhar para propagar o evangelho ao redor do mundo, mas, sim, qual papel desempenharemos nessa propagação. A igreja que não se dedica à causa de Cristo em termos globais não é uma igreja no sentido bíblico.

Uma visão do fim

Deus nos diz que a história está se encaminhando para um fim específico e glorioso. O Senhor prometeu a Abraão que, por meio dele, todas as nações da terra seriam abençoadas. É disso que sempre se tratou o plano divino de redenção. E, quando olhamos para o fim da história, vemos que a promessa de Deus para Abraão será cumprida. Não há dúvida sobre se a igreja cumprirá ou não sua missão; nós temos a certeza de que é assim que o mundo acabará.

João teve a permissão de ver o cumprimento dessa promessa divina a Abraão:

Depois disso olhei, e diante de mim estava uma grande multidão que ninguém podia contar, de todas as nações, tribos, povos e línguas, em pé, diante do trono e do Cordeiro, com vestes brancas e segurando palmas. E clamavam em alta voz:

"A salvação pertence ao nosso Deus, que se assenta no trono, e ao Cordeiro".

Apocalipse 7.9-10

É para esse lugar que estamos indo. Por mais distantes e estranhas que possam parecer as igrejas na Índia, na África, na China ou em Papua-Nova Guiné, nosso futuro está intrinsecamente ligado ao delas. Quando Jesus voltar para reivindicar este mundo como seu Rei legítimo, nos veremos louvando a Deus junto de cristãos de todos os séculos e de todas as nações da terra.

O plano de Deus para o nosso futuro deveria afetar a maneira como vivemos e pensamos hoje. Será que a igreja na China importa para você? Quando ouve falar das perseguições que cristãos enfrentam em outras partes do mundo, você sente compaixão por eles? Quando ouve falar de missionários a caminho do Iraque ou da Tailândia, você faz planos para orar por eles ou lhes dar apoio financeiro? Essas pessoas são nossos irmãos e irmãs. A missão deles é a mesma que a nossa. Eles estão trabalhando conosco com o mesmo objetivo em vista. Sem eles, não podemos cumprir a missão que Deus nos deu.

Jesus chamou seus seguidores para serem suas testemunhas "em Jerusalém, em toda a Judeia e Samaria, e até os confins da terra" (At 1.8). Nós ainda não alcançamos os confins da terra, mas, mediante o poder do Espírito de Deus, alcançaremos. Como seguidores de Jesus Cristo, nosso chamado é fazer discípulos. Esses discípulos também são chamados para fazer discípulos. Jesus promete que estará conosco enquanto fazemos isso, até o fim dos tempos (Mt 28.20). Não sabemos quando chegará o fim, mas queremos seguir fazendo discípulos até esse momento chegar. Somos criaturas de Deus, vivendo na terra dele, inseridos no plano divino de redenção. Que nossa vida seja dedicada ao seu reino e à sua glória.

Questões práticas e desafiadoras

1. Com suas palavras, explique por que é importante pensar no plano divino de redenção em termos globais.
2. Quando você reflete sobre a missão de sua igreja, o restante do globo é levado em conta? Em que medida?
3. Dedique algum tempo para refletir nas passagens citadas (Rm 15.20-21; Is 52.7-10; Rm 10.12-15). De que modo essas verdades impactam nossa maneira de conceber o chamado de Jesus?
4. Você costuma pensar nos grupos de pessoas não alcançados ao redor do mundo? Se sim, como isso impacta seu modo de pensar e viver? Se não, por que, a seu ver, você nunca pensou nisso?
5. Reserve um minuto para fazer uma pausa e perguntar a Deus o que ele quer para sua vida. Peça-lhe que rompa quaisquer desculpas atrás das quais você esteja se escondendo e quaisquer ídolos aos quais você esteja se agarrando. Peça-lhe disposição para segui-lo aonde quer que ele o leve. Se você tiver algumas ideias resultantes desse tempo de oração, anote-as.
6. Como você descreveria seu papel na promoção do evangelho ao redor do mundo? Se nada lhe vem à mente, liste algumas coisas que você pode começar a buscar a fim de fazer das missões uma parte de sua vida.
7. A fim de seguir Jesus fielmente e cumprir sua parte no plano divino de redenção, como deveria ser sua vida neste exato momento? (Essa é uma questão ampla, mas tente escrever algumas coisas que o orientem à medida que você busca pôr em prática aquilo que tem aprendido.)
8. Passe algum tempo em oração. Peça a Deus que ajude você a submeter-se a ele por inteiro. Peça-lhe que o guie e lhe dê

poder para tudo que ele o chama a fazer. Ore pedindo que Deus use você em sua vizinhança e em todo o mundo da maneira que ele julgar oportuno.

Assista ao vídeo.

PARTE 3

Como estudar a Bíblia

7

Por que estudar a Bíblia?

Como dissemos, uma parte importante do processo de fazer discípulos consiste em ensinar as pessoas a obedecer a tudo o que Jesus ordenou (Mt 28.20). Isso significa que precisamos conhecer os ensinos e mandamentos de Jesus. Pode parecer que os primeiros discípulos tinham vantagem sobre nós nesse quesito. Como podemos ensinar as pessoas a seguir Jesus se nós não presenciamos seu ministério nem ouvimos seu ensino? Mas não há desvantagem alguma, pois Deus registrou suas palavras e o testemunho dos seguidores de Jesus num livro — a Bíblia.

Para o cristão, nada deveria parecer mais natural que a leitura da Bíblia. Pedro, um dos primeiros discípulos de Jesus, comparou isso com o desejo natural de um bebê por leite: "Como crianças recém-nascidas, desejem de coração o leite espiritual puro, para que por meio dele cresçam para a salvação, agora que provaram que o Senhor é bom" (1Pe 2.2-3).

Tal como o recém-nascido depende de leite para sobreviver e crescer, devemos igualmente depender das palavras das Escrituras para nossa sobrevivência e crescimento espirituais. As palavras da Bíblia impactam milhões de vidas há milhares de anos, e Deus quer que elas transformem nossa vida também. Se você ainda não ama a Bíblia, ore para que isso aconteça.

Não importa qual tenha sido nossa experiência com a Bíblia, é útil para todos nós dar um passo atrás e refletir acerca do que esse livro realmente é. Quando falamos sobre a Bíblia, às vezes usamos uma linguagem profunda sem considerar o que estamos de fato dizendo. Talvez a coisa mais forte que possamos dizer a respeito da

Bíblia é que ela é a "Palavra de Deus". Mas você já pensou no que isso significa? Esse conceito deveria fundir nossa mente. Quando falamos da Bíblia, estamos, na verdade, falando sobre algo que o Deus onipotente, onisciente e transcendente decidiu escrever para nós! O que poderia ser mais importante?

Imagine como você responderia ao ouvir uma voz do céu falando diretamente a seus ouvidos. Deveríamos tratar a Bíblia com a mesma reverência.

Se realmente acreditamos que a Bíblia é a Palavra de Deus, então ela deveria ser mais que um livro com o qual estamos familiarizados. A Bíblia deveria moldar cada aspecto de nossa existência, além de guiar as decisões que tomamos na vida. Se Deus é o projetista e o criador deste mundo, se ele nos fez e nos colocou neste planeta, e se ele reservou tempo para nos dizer quem ele é, quem nós somos e como este mundo funciona, então o que poderia ser mais importante para nós do que a Bíblia?

Entretanto, mesmo depois de decidir que a Bíblia é importante, ainda precisamos aprender a lidar com ela da maneira correta e pelos motivos corretos. Muitos cristãos fazem mau uso da Bíblia porque jamais se perguntaram *por que*, afinal, a estão estudando. O propósito deste capítulo é ajudar você a refletir sobre a natureza da Bíblia, por que é importante estudá-la e compreender como ela deveria transformar nossa vida.

Estudando o livro certo pelos motivos errados

Antes de prosseguir, pergunte a si mesmo por que você estuda a Bíblia. Não seja excessivamente otimista; tente avaliar seu coração. Quando você pega a Bíblia e começa a ler, qual é sua motivação? Você é induzido pela culpa? Tem o desejo de conhecer Deus mais plenamente? Está à procura de argumentos contra outros pontos de vista? Está em busca de material para um estudo bíblico ou sermão?

A verdade é que a maioria dos cristãos estuda a Bíblia pelas razões erradas. Aqui, vamos explorar três motivos que precisamos descartar quando o assunto é estudar a Bíblia: a culpa, o *status* e o material de ensino.

Culpa

Muitas pessoas leem motivadas pela culpa. Todos nós sabemos que precisamos ler a Bíblia — é uma daquelas coisas que os cristãos sabem que devem fazer. A prática da leitura costuma ser adicionada a uma lista de coisas, como ir frequentemente à igreja, dar o dízimo e não fazer juramentos. Ninguém quer admitir que lê a Bíblia por culpa, mas a culpa é um poderoso motivador.

Com bastante frequência, essa culpa está relacionada ao legalismo. Nós criamos nosso próprio padrão ("Eu tenho de ler *x* capítulos por dia") e depois aderimos a isso, sem considerar em momento algum que não foi Deus quem definiu essa norma para nós; nós a definimos por conta própria. Não demora muito para começarmos a atrair outras pessoas a essa norma. E assim uma cultura de culpa é formada, uma cultura na qual os "bons cristãos" leem sua Bíblia porque sentem medo de não fazê-lo, e os "maus cristãos" se sentem culpados por não cumprir sua cota de leitura bíblica.

Status

Existe certo *status* ou ar de respeito reservado àqueles que conhecem bem a Bíblia. E com razão. Devemos todos aspirar ao conhecimento da Palavra de Deus do início ao fim. Ela deve estar na ponta de nossa língua e manter-se profundamente enraizada em nosso coração e em nossa mente.

Mas separe um minuto para perguntar a si mesmo por que você quer conhecer bem a Bíblia. Deus se alegra quando estimamos sua Palavra, mas você acha mesmo que ele se agrada com seu desejo de parecer inteligente? Será que seu desejo de ser um "guia" que nunca se confunde realmente glorifica a Deus? E o que dizer de seu desejo de ser reconhecido como a melhor ou mais espiritual pessoa presente em determinado recinto?

Não se trata de estudar a Bíblia em demasia (como se isso fosse possível); trata-se da motivação que o leva a estudá-la. Vezes demais os cristãos são motivados pelo *status* quando deveriam ser motivados pelo desejo de conhecer Deus, ser transformado pela Palavra divina e amar e servir as pessoas ao redor.

É provável que você conheça alguém que conhece a Bíblia por completo. Talvez tenha percebido como essa pessoa é tratada e quer para si o que ela recebe. A competição é um grande motivador, mas é a razão errada para estudar a Bíblia. Deus se importa mais com seu caráter que com sua produtividade, e, vamos falar a verdade, estudar a Bíblia com o intuito de ser melhor que outra pessoa é ridículo.

Material de ensino

Às vezes nossas motivações ficam distorcidas quando temos de estudar a Bíblia a fim de conduzir um estudo bíblico, pregar um sermão, ou mesmo obter alguma preciosidade bíblica para partilhar com alguém. Isso tende a ser um mau uso bastante sutil da Bíblia. Não é errado usar a Bíblia como preparação para ensinar outras pessoas. Na verdade, é até necessário. O problema surge quando começamos a abordar a Bíblia *apenas* como fonte de material de ensino. Se você exerce o papel de pregar ou ensinar pessoas, acontece de ficar percorrendo a Bíblia em busca de pepitas para partilhar? Ou você mergulha nas Escrituras pelo que ela tem a dizer a *você*, prestando atenção ao que Deus quer ensinar a *você*, permitindo que a Bíblia transforme *você* de maneiras inesperadas?

Por que Deus nos deu a Bíblia?

A melhor maneira de começar a refinar nossa motivação para o estudo da Bíblia consiste em fazer uma simples pergunta: por que Deus nos deu a Bíblia? Estamos acostumados à ideia de que a Bíblia é a Palavra de Deus. Mas por que ele a deu a nós? Se a Bíblia é a Palavra de Deus, por que Deus afinal decidiu falar conosco? Enquanto não entendemos o propósito da Bíblia, estamos fadados a continuar lidando com ela de maneiras que ignoram a intenção de Deus.

Ensinar-nos sobre si mesmo

Então, por que Deus nos deu a Bíblia? Uma razão que parece óbvia é que ele queria descrever a si mesmo para nós. Do início ao fim, Deus é o tema das Escrituras. Tudo nesse livro está centrado nele. Gênesis começa com um Deus que existia sozinho e depois criou todas as coisas. Apocalipse termina com esse mesmo Deus reinando eternamente sobre todas as coisas que criou. Todos os livros intermediários revelam o caráter e os atributos de Deus, narrando suas ações soberanas ao longo da história.

O Deus celeste quer que conheçamos certas coisas acerca dele, e usa as Escrituras para revelar essas coisas. As pessoas naturalmente querem acreditar num mundo centrado no homem; por isso Deus nos deu a Bíblia, que mostra que tudo gira em torno dele. Ele é o Primeiro e o Último, o Rei dos reis e o Senhor dos senhores. Ele é descrito como "santo", o que aponta para a enorme disparidade entre Deus e as pessoas. Para Deus, é importante que entendamos isso.

É por meio da Bíblia que aprendemos sobre o poder de Deus, bem como sobre sua justiça, misericórdia, ira, amor, bondade, raiva, fidelidade, zelo, santidade, compaixão etc. Uma vez que Deus já está descrito na Bíblia, não temos espaço para formular nossas opiniões. Devemos todos estudar a fim de entender Deus melhor. Precisamos buscar diligentemente conhecer a verdade sobre Deus e nos livrar de quaisquer equívocos acerca dele.

Ensinar-nos sobre nós mesmos e sobre o mundo em que vivemos

Deus também nos deu a Bíblia para que pudéssemos entender o mundo onde vivemos. Trata-se de uma narrativa grandiosa que explica de onde viemos, por que o mundo é como é e para onde tudo se encaminha. Explica quem somos como seres humanos e como devemos pensar acerca de nossa existência.

Muitos cristãos pensam que a Bíblia é útil para responder a questões religiosas e nos ensinar a levar uma vida devota, mas argumentam que ela não possui respostas para as difíceis perguntas que encaramos na filosofia, nas ciências naturais ou na sociologia. Isso não é verdade! A Bíblia nos oferece respostas a todas as perguntas mais importantes da vida. A Bíblia nos oferece muito mais que "verdades religiosas"; ela explica de forma precisa o mundo onde vivemos. O Deus que escreveu a Bíblia é o Deus que projetou o mundo. Uma vez que este é o mundo dele, só faz sentido visualizar o mundo de sua perspectiva e viver de acordo com seus princípios.

Tudo isso significa que, quando estudamos a Bíblia, devemos buscar a compreensão de nosso Deus, de nosso mundo e de nós mesmos. Em vez de buscar uma experiência emocional ou tentar acumular conhecimento religioso, devemos aprender a viver no mundo que Deus criou.

Capacitar-nos a viver uma vida piedosa

Outra razão por que Deus nos deu a Bíblia é nos capacitar a viver uma vida piedosa. Pedro disse que o "divino poder [de Deus] nos deu tudo de que necessitamos para a vida e para a piedade, por meio do pleno conhecimento daquele que nos chamou para a sua própria glória e virtude" (2Pe 1.3). Simplificando, pelo conhecimento de Deus nós obtemos tudo de que precisamos para levar uma vida piedosa. Sejam quais forem as nossas motivações para o estudo da Bíblia, a vida piedosa precisa estar perto do topo da lista. Nós estudamos porque queremos ser piedosos.

Paulo disse que "toda a Escritura é inspirada por Deus e útil para o ensino, para a repreensão, para a correção e para a instrução na justiça, *para que o homem de Deus seja apto e plenamente preparado para toda boa obra*" (2Tm 3.16). Primeiro, Paulo diz que as Escrituras são "inspiradas" por Deus. Embora Deus tenha usado autores humanos para escrever os livros da Bíblia, o próprio Deus é a fonte última dessas palavras. Mas perceba a declaração proposital incluída por Paulo: "para que o homem de Deus seja apto e plenamente preparado para toda boa obra". Sendo assim, por que Deus nos deu a Bíblia? *Para que* fôssemos pessoas completamente aptas, preparadas e dispostas a fazer tudo o que ele nos pedir.

Isso significa que, à medida que estudamos a Bíblia, devemos estar à procura de mudança. Hebreus 4.12 nos alerta de que "a palavra de Deus é viva e eficaz, e mais afiada que qualquer espada de dois gumes; ela penetra até o ponto de dividir alma e espírito, juntas e medulas, e julga os pensamentos e intenções do coração". Ainda que pensemos na Bíblia sobretudo como algo que lemos a fim de obter conhecimento, o caminho é inverso: a Bíblia nos lê — penetra nosso âmago e expõe quem realmente somos. Se você está lendo a Bíblia sem nenhuma mudança interna, então pode ter certeza de que está lidando com ela da maneira errada. Não se trata de encontrar apoio para nosso estilo de vida ou modo de pensar; trata-se de aproximar-se da mente de Deus e deixá-la mudar e redefinir quem nós somos.

Facilitar o relacionamento com Deus

Deus quer que você o conheça, e ele lhe deu as Escrituras para possibilitar isso. Todo relacionamento exige comunicação — a expressão amorosa de cada pensamento, emoção, preocupação e sonho que fortalece o relacionamento e aprofunda a intimidade. É assim que nossos relacionamentos funcionam; então, por que seria diferente com Deus? A Bíblia é o meio pelo qual Deus partilha seus pensamentos e desejos conosco! Nós somos seres relacionais porque ele nos criou assim. Ele mesmo exibe puro relacionamento na união e no amor perfeitos entre os membros da Trindade. Desde o dia em que pôs Adão no jardim, Deus mantém um relacionamento com a raça humana, e a comunicação sempre foi fundamental para esse relacionamento.

Quando abrimos a Bíblia, portanto, estamos nos envolvendo com a comunicação de Deus conosco. Ele escolheu palavras específicas para dizer a um povo específico em momentos específicos. Escolheu preservar 66 livros de modo que pudéssemos conhecê-lo melhor. Embora diferentes partes da Bíblia sejam dirigidas a pessoas diferentes, tudo na Bíblia foi, em última análise, escrito para nosso benefício. Se a Bíblia é de fato "inspirada por Deus" — palavras sopradas pela boca do próprio Deus —, então ler a Bíblia é ouvir a voz de Deus.

Toda vez que lemos a Bíblia, fortalecemos nosso relacionamento com Deus — a menos que abordemos o texto bíblico pelos motivos errados. Se nos aproximarmos da Bíblia com humildade, ouvindo ansiosamente Deus falar conosco, esperando para escutar o que ele tem a dizer, e não o que queremos ouvir, estaremos nos aproximando daquele que nos criou para que com ele nos relacionássemos. O verdadeiro estudo bíblico tem sempre a intimidade com Deus como objetivo principal.

Exaltar Jesus

Deus usa as Escrituras para explicar como e por que elevou Jesus ao lugar mais alto. Todos os acontecimentos na história bíblica apontam para o Filho de Deus. A lei foi dada para nos mostrar nossa pecaminosidade e nossa necessidade de Jesus. Os sacerdotes e sacrifícios do Antigo Testamento apontam para nossa necessidade do sumo sacerdote e de seu sacrifício definitivo. Os evangelhos registram as palavras e ações amorosas do Filho de Deus. As cartas explicam de que forma sua obra na cruz (e somente essa obra) nos habilita a sermos salvos dos pecados e cheios do Espírito. Apocalipse mostra o modo como Jesus um dia voltará para julgar e restaurar a terra, e então reinar com seus seguidores para sempre. Tudo isso é escrito com o intuito de exaltar Jesus para a glória do Deus Pai. Tais palavras devem nos fazer exaltar Jesus em nossa vida cotidiana.

Preparar-nos para nossa missão designada por Deus

Desde o início, Deus tinha uma missão para a humanidade. Após finalizar a criação do mundo e de tudo que nele há, Deus criou o primeiro homem e o colocou no jardim "para cuidar dele e cultivá-lo" (Gn 2.15). Deus também deu à humanidade domínio sobre a criação. O que quer que signifique "domínio", não quer dizer que temos o direito de destruir a criação de algum modo que sirva ao nosso propósito. Ao contrário, se o domínio da humanidade se parece algo com o domínio de Deus, então nossa responsabilidade é cuidar amorosamente do mundo que ele criou. Desde o momento em que Adão foi criado por Deus, as pessoas têm uma missão na terra.

Deus escolheu Abraão para ser o pai da nação de Israel. Ele abençoou Abraão, prometeu transformá-lo numa grande nação e disse: "Por meio de você todos os povos da terra serão abençoados" (Gn 12.3). Quando pensamos na nação de Israel, muitas vezes achamos que Deus a escolheu para que fosse separada do resto do mundo, desfrutando das bênçãos divinas e vivendo como a "favorita" de Deus. Mas, desde o momento em que escolheu Abraão, Deus deixou claro que Abraão repassaria as bênçãos que havia recebido. Abraão foi abençoado *a fim de que* pudesse ser uma bênção para todas as nações da terra. A missão de Israel era mostrar ao mundo quem era seu Deus.

No Novo Testamento, a missão do povo de Deus se torna ainda mais clara. Não estamos neste mundo somente para desfrutar de nosso relacionamento pessoal com Deus. Estamos aqui para ser servos de Deus, seus embaixadores: "Portanto, somos embaixadores de Cristo, como se Deus estivesse fazendo o seu apelo por nosso intermédio. Por amor a Cristo lhes suplicamos: Reconciliem-se com Deus" (2Co 5.20).

Embora boa parte do pensamento cristão nos diga que somos o centro de tudo — que tudo diz respeito a você e a Deus e que nada mais importa —, a verdade é que Deus está no centro, e ele nos salvou para que trabalhássemos com ele em sua missão de redimir a humanidade e restaurar a criação à sua intenção original.

Isso significa que, quando lemos a Bíblia, precisamos visualizá-la como ordens a serem cumpridas. Em vez de ir até a Bíblia com nossa própria pauta e tentar encontrar versículos que apoiem o que gostaríamos de fazer, precisamos deixar que a Bíblia molde nossos sonhos e esperanças. Toda vez que lemos a Bíblia, devemos entender um pouco melhor nossa missão. Por que afinal estamos neste mundo? Como podemos participar do que Deus está fazendo neste mundo? Essas são as questões às quais a Bíblia responde — desde que estejamos prontos para ouvir.

Abordando a mente de Deus

Em última instância, quando lemos a Bíblia, estamos abordando a mente de Deus. Toda vez que você abre a Bíblia, deve se preparar para um encontro com o Criador do Universo. Sendo assim, como você se prepara para esse tipo de encontro?

Deveria ser inútil dizer que precisamos nos aproximar de Deus com humildade. Sabemos que precisamos ser humildes com outras pessoas e com Deus, mas não costumamos pensar em ser humildes com a Bíblia. Cometemos esse erro porque não pensamos no que estamos fazendo quando lemos a Palavra. Ler a Bíblia com humildade significa assumir o papel de estudante. Com demasiada frequência, pesquisamos a Bíblia para encontrar concordância com os pontos de vista que já temos. De fato, trata-se do inverso. Precisamos reconhecer que não sabemos nada.

Não temos as respostas — é por isso que lemos a Bíblia.

Abordar a Bíblia com humildade significa colocar nossos compromissos de lado e procurar o que Deus nos ensinará. Cada vez que você se vir lutando para aceitar algo que a Palavra diz, terá descoberto uma área de sua vida que precisa ser submetida a Cristo. Infelizmente, muitas vezes desperdiçamos essas oportunidades, encontrando formas de explicar o que a Bíblia está nos dizendo.

E esse é o verdadeiro teste — no momento em que descobre que suas crenças ou estilo de vida não correspondem à Bíblia, você presume que a Bíblia está errada? Toda vez que nos vemos discordando de Deus, podemos estar certos de que somos nós que precisamos mudar. Deus não nos deu a Bíblia para nos ajudar a sentir-nos melhor acerca de como agimos; ele escreveu a Bíblia para nos dizer o que ele quer que sejamos e façamos. Enquanto não começarmos a ler a Bíblia com o objetivo de ficar mais íntimos de Deus e fazer o que ele diz, estaremos perdendo completamente o alvo.

A motivação certa faz toda a diferença

Em 1Coríntios 8, Paulo discorre sobre alimentos oferecidos aos ídolos. As religiões pagãs daquela época ofereciam carne a seus deuses. Depois da cerimônia, pegavam a carne (obviamente os ídolos não a comiam) e a vendiam no mercado local a preço reduzido. Compreensivelmente, alguns cristãos que haviam se convertido do paganismo tinham problemas com essa carne porque ficavam com a sensação de estar participando de idolatria ao comê-la. Outros cristãos entendiam corretamente que esses ídolos não eram nada, e podiam tranquilamente comer dessa carne.

O problema surgiu, porém, quando esses cristãos começaram a usar o conhecimento para forçar irmãos e irmãs a agirem contra sua consciência. Ao lidar com o assunto, Paulo disse estas profundas palavras: "Com respeito aos alimentos sacrificados aos ídolos, sabemos que todos temos conhecimento. O conhecimento traz orgulho, mas o amor edifica" (1Co 8.1).

O alerta de Paulo serve como exemplo notável para apontar o que acontece quando estudamos a Bíblia pelos motivos errados. Se estudamos a Bíblia com o intuito de obter mais conhecimento, parecer mais inteligentes, comprovar um ponto a alguém, ou convencer outras pessoas de que elas deveriam pensar e agir exatamente como nós, então esse estudo tem motivação errada. E qual é o fruto desse tipo de estudo? Ficamos orgulhosos. Ironicamente — tragicamente — o estudo bíblico produziu algumas das pessoas mais arrogantes que este mundo já viu. É bem provável que você conheça uma ou duas dessas pessoas.

Obviamente, não é assim que Deus quer que estudemos a Bíblia. Pelo contrário, a leitura da Palavra de Deus deveria nos fazer mais parecidos com ele. Como disse Paulo, o conhecimento traz orgulho, mas o amor edifica. Quando vamos até a Bíblia sem pautas, à procura de maneiras pelas quais Deus quer nos ensinar e nos transformar, sairemos mais parecidos com as pessoas que Deus deseja que sejamos.

Lembre-se da exortação de Pedro: "Portanto, livrem-se de toda maldade e de todo engano, hipocrisia, inveja e toda espécie de maledicência. Como crianças recém-nascidas, desejem de coração o leite espiritual puro, para que por meio dele cresçam para a salvação" (1Pe 2.1-2). Devemos pôr de lado todo desejo e inclinação ímpia e ansiar apenas pelo alimento e pela nutrição da Palavra de Deus. Esse é um conceito bem simples que traz resultados transformadores. Imagine quão diferente você seria se alinhasse seu pensamento e seu estilo de vida com a Bíblia. Em vez de se tornar arrogante, você amaria mais a Deus; estaria em sintonia com sua missão, designada por ele; veria as pessoas não como meios para seus fins, mas como criações valiosas de Deus; e encontraria maneiras de amar e servir às pessoas à sua volta.

Antes de seguir adiante

Para resumir, a maneira correta de abordar a Bíblia consiste em, primeiramente, desprender-nos de tudo que queremos e esperamos e deixar Deus nos dizer exatamente o que pensar e fazer. É claro, isso vai contra nossas tendências naturais; portanto, precisamos que Deus trabalhe em nosso coração para remover nossas frágeis motivações e nos dar um anseio puro por sua Palavra. Nos próximos capítulos, falaremos sobre métodos para estudar a Bíblia com atenção. Mas antes de desenvolver técnicas de estudo, é absolutamente imprescindível que você trabalhe suas motivações para estudar. A menos que seu coração esteja ajustado, você fará mau uso da Bíblia, não importa quão qualificado seja para estudá-la.

Questões práticas e desafiadoras

1. Dedique alguns minutos para examinar suas motivações e escreva algumas reflexões a respeito delas.

2. Separe um instante para refletir sobre sua experiência com o estudo da Bíblia. De quais das motivações erradas alistadas anteriormente você é culpado? Consegue pensar em outras?
3. Reserve um minuto para analisar por que Deus nos deu a Bíblia. De que modo essas coisas impactam sua maneira de pensar sobre o estudo da Bíblia?
4. Como você costuma reagir ao ensino da Bíblia? Você diria que se aproxima dela humildemente, com desejo de mudar? Em que aspecto você precisa ajustar sua abordagem para estudar a Palavra de Deus?
5. Em vez de pensar em todas as pessoas arrogantes que você conhece, separe um minuto para considerar se seus esforços para estudar deixaram você orgulhoso. De que modo o estudo da Bíblia o transformou? Você é mais arrogante, argumentativo ou crítico? Anote algumas reflexões a respeito disso.
6. Separe um minuto para meditar em 1Pedro 2.1-2. Como seria sua vida se você desejasse a Palavra de Deus da maneira descrita por Pedro?
7. Encerre esta lição orando. Peça a Deus que purifique seu coração em relação às Escrituras. Peça-lhe que produza em você o desejo pelo leite puro da Palavra.

Assista ao vídeo.

8

Estudando a Bíblia em oração e obediência

Existe algum jeito "certo" de estudar a Bíblia?

Nós todos provavelmente concordaremos que estudar a Bíblia é fundamental, mas talvez não concordemos acerca do melhor método de estudo. Não há um padrão universalmente aceito para como os cristãos devem interagir com o texto bíblico. Alguns abordam a Bíblia como livro didático ou manual de instruções que oferece orientações acerca de como conduzir a vida. Outros se inclinam para as histórias e personagens da Bíblia como inspiração ou modelo para uma vida devota. Ainda outros usam uma abordagem mais mística: abrir ao acaso alguma página e encontrar algum incentivo ou orientação espiritual que os ajude a atravessar o dia. E há por fim a abordagem acadêmica, que examina cuidadosamente cada passagem das Escrituras para determinar de modo preciso o que os autores pretendiam dizer.

A maioria de nós alterna entre essas abordagens e muitas outras, na tentativa de tirar o máximo proveito da Bíblia. Nós sabemos que precisamos dela, mas às vezes temos dificuldades em nossa busca por extrair o melhor de sua leitura.

O estudo dedicado da Bíblia

Antes de decidir qual é a melhor abordagem para estudar a Bíblia, não nos esqueçamos do que ela é: a Palavra de Deus. São as palavras dele para nós; portanto, devemos estar cientes de sua autoridade enquanto ele nos transmite seu propósito e vontade. Quando lemos a Bíblia, estamos ouvindo a voz de Deus.

Então, como devemos ler um livro que carrega o mesmo peso que a voz audível de Deus descendo do céu? Obviamente, devemos ler a Bíblia com cuidado, prestando atenção ao que Deus está dizendo exatamente — um conceito que exploraremos na próxima lição. Neste capítulo, vamos nos concentrar em outro tópico importante: devemos ler essas palavras com dedicação. Dizendo de outra forma, devemos ser "dedicados" a elas. Quando Deus fala conosco, devemos ser rápidos para ouvir e ávidos para absorver tudo o que ele nos diz. E devemos desfrutar disso.

Você já pensou em simplesmente *desfrutar da leitura da Bíblia*? Muitas vezes, ficamos tão presos na correria de nossa vida ou nos detalhes do texto bíblico a ponto de esquecer que deveríamos ficar emocionados. Afinal, estamos ouvindo as palavras de Deus para nós!

Se você deseja ter uma noção do que significa desfrutar da Bíblia, então leia o salmo 119. É basicamente uma carta de amor endereçada à Palavra de Deus. Duas coisas são especialmente notáveis neste salmo: 1) o salmista tinha muito a dizer sobre as Escrituras (são 176 versículos ao todo!); 2) ele gostava mesmo da Palavra. O repetido refrão diz que ele *sente prazer* na lei de Deus, em seus estatutos, preceitos, mandamentos etc. A certa altura (v. 131), ele chega a dizer: "Abro a boca e suspiro, ansiando por teus mandamentos". Isso, sim, é um desejo sério!

Lembre-se mais uma vez da exortação de Pedro para ansiarmos pela Palavra de Deus como o bebê anseia pelo leite da mãe (1Pe 2.2-3). Se tal declaração reflete a atitude que o cristão deveria ter em relação à Bíblia, é seguro dizer que todos nós estamos longe do ideal.

Devemos abordar a Bíblia com essa mesma intensidade, cientes de que estamos lendo as palavras de Deus e que suas palavras são direcionadas a nós. Deus nos deu a Bíblia para que fosse usada na disciplina, no aconselhamento, no ensino e no encorajamento das pessoas à nossa volta (2Tm 3.16-17). Mas, independentemente do que façamos com a Bíblia, não podemos deixar de lê-la com dedicação. Quando estudamos a Bíblia para ensinar, corrigir ou encorajar outras pessoas, precisamos deixar as verdades de Deus penetrarem cada aspecto de nossa mente, de nosso coração e de nosso estilo de vida.

Oração e compreensão

Os cristãos costumam falar de orar *e* ler a Bíblia, mas não ouvimos muito falar de orar *enquanto* se lê a Bíblia. Embora muitos cristãos reconheçam que a oração é uma parte importante do entendimento das Escrituras, a maioria de nós não tem feito um bom trabalho quanto a efetivamente pôr isso em prática.

Alguns acreditam que, se examinarmos o texto bíblico com o rigor necessário — talvez até aprendendo hebraico e grego —, se consultarmos comentários suficientes, se esquematizarmos cada passagem com perfeição, então poderemos chegar ao verdadeiro significado de qualquer texto bíblico. Todos esses elementos são importantes, mas tal modo de pensar não deixa espaço para a oração, o que significa que não há nenhuma dependência do Espírito Santo. É uma mentalidade de total autossuficiência.

A descrição de Paulo acerca da diferença entre a sabedoria humana e a sabedoria divina merece ser citada integralmente:

> Todavia, como está escrito: "Olho nenhum viu, ouvido nenhum ouviu, mente nenhuma imaginou o que Deus preparou para aqueles que o amam"; mas Deus o revelou a nós por meio do Espírito. O Espírito sonda todas as coisas, até mesmo as coisas mais profundas de Deus. Pois, quem conhece os pensamentos do homem, a não ser o espírito do homem que nele está? Da mesma forma, ninguém conhece os pensamentos de Deus, a não ser o Espírito de Deus. Nós, porém, não recebemos o espírito do mundo, mas o Espírito procedente de Deus, para que entendamos as coisas que Deus nos tem dado gratuitamente. Delas também falamos, não com palavras ensinadas pela sabedoria humana, mas com palavras ensinadas pelo Espírito, interpretando verdades espirituais para os que são espirituais. Quem não tem o Espírito não aceita as coisas que vêm do Espírito

de Deus, pois lhe são loucura; e não é capaz de entendê-las, porque elas são discernidas espiritualmente.

1Coríntios 2.9-14

Assegure-se de que você entende o ponto central dessa passagem: você *não pode* entender a Bíblia sem a ajuda do Espírito Santo.

Ter o pensamento submisso a Deus é um aspecto vital do ser humano — e era assim até mesmo antes da queda. Quando Adão e Eva estavam no jardim do Éden, eles precisavam de Deus para dizer-lhes o que fazer. Isso é fantástico! Antes mesmo de o pecado entrar no mundo, as pessoas precisavam da revelação de Deus para entender o cenário onde viviam. Parte do que significa ser humano é que dependemos da revelação divina para entender nossa existência. E depois da queda essa dependência só se intensificou.

Como resultado da queda, as pessoas não são corrompidas apenas em suas ações, mas também em sua mente (Rm 1.21). Isso significa que nós naturalmente nos desviamos da moralidade de Deus (um conceito com o qual estamos bastante familiarizados), mas, além disso, significa que nossa mente foi contaminada pelo pecado. Já não pensamos da maneira como deveríamos pensar. Esse fato intensifica nossa dependência do Espírito de Deus para nos ajudar a enxergar a verdade divina como ela realmente é, e não como gostaríamos que fosse.

É exatamente esse o ponto de Paulo: nós não podemos entender as verdades espirituais sem o Espírito de Deus. Sem o Espírito, olharemos para a revelação de Deus na natureza e na Bíblia e a interpretaremos da maneira errada.

É por isso que a oração é absolutamente essencial para o estudo da Bíblia. Não é um gesto simbólico, não é uma formalidade: é fundamental para entender a mente de Deus. Se a Bíblia é a Palavra de Deus, então a compreensão da Bíblia significa compreender a mente de Deus (não plenamente, é claro, mas na medida em que ele a revelou a nós). E Paulo disse de modo explícito que a única maneira de entendermos a mente de Deus é por intermédio do Espírito de Deus.

Se nosso estudo da Bíblia não estiver imerso em oração, então não estamos estudando a Bíblia do jeito que Deus pretende. As Escrituras estão cheias da sabedoria de Deus, e somos totalmente dependentes do Espírito para nos revelar essa sabedoria e estabelecê-la em nossa vida.

Estudando a Bíblia em obediência

Talvez a principal razão para imergirmos nosso estudo da Bíblia em oração é que precisamos desesperadamente do Espírito para alinhar nossa vida com as verdades que estamos estudando. Não precisamos de estatísticas para nos convencer de que os frequentadores de igreja tendem para a hipocrisia. Todos nós conhecemos pessoas que são apaixonadas pela verdade, mas não parecem entender o conceito de praticar o que pregam. Precisamos do Espírito para nos impedir de tornar-nos uma dessas pessoas.

De que vale a verdade se ela não nos transforma? Paulo disse o seguinte:

> Ainda que eu fale as línguas dos homens e dos anjos, se não tiver amor, serei como o sino que ressoa ou como o prato que retine. Ainda que eu tenha o dom de profecia e saiba todos os mistérios e todo o conhecimento, e tenha uma fé capaz de mover montanhas, se não tiver amor, nada serei.
>
> 1Coríntios 13.1-2

Se você pudesse maravilhar as pessoas com sua capacidade de falar, se compreendesse tudo e tivesse mais fé que qualquer pessoa na terra, mas não amasse seu próximo como a si mesmo, então de que adiantaria? É por isso que a oração é essencial. Nós precisamos do Espírito para nos fazer amar — para transformar nosso conhecimento em ação amorosa.

Muitos cristãos estudam a Palavra de Deus como se adquirir conhecimento resumisse o propósito de nossa missão neste planeta. De acordo com Paulo, porém, o conhecimento pode ser completamente inútil e até prejudicial: o conhecimento traz orgulho, mas o amor edifica (1Co 8.1).

Se nós acreditamos nessa afirmação, então por que temos tanta admiração por pessoas que sabem um monte de fatos? Será que esquecemos que o conhecimento é um meio para um fim maior? O conhecimento nos capacita a amar a Deus e a amar nosso próximo mais plenamente.

Se não colocamos em prática o que sabemos, então nosso conhecimento apenas nos fará mais arrogantes. Há uma ironia assustadora aqui: *Seu estudo bíblico pode de fato levar você para mais longe do Senhor.*

Com certeza não se resolve o problema estudando-se menos. Em vez disso, devemos aprender tudo que pudermos e de imediato aplicá-lo à nossa vida. Devemos pedir a Deus que nos dê um amor mais profundo por ele e pelos outros, de modo que ponhamos em prática as verdades reveladas. Muitas vezes, as verdades que aprendemos realmente nos levarão a buscar situações nas quais possamos aplicá-las (por exemplo, cuidar dos pobres ou considerar as outras pessoas melhores que nós mesmos).

Não podemos nos dar ao luxo de ignorar este ponto. Se você se vê estudando a Bíblia sem aplicar o que está aprendendo, então está fazendo mau uso da Palavra de Deus. É simples assim — e grave assim.

Você pode não se achar um especialista em Bíblia, mas pense em todas as coisas que conhece sobre as Escrituras. A Bíblia está cheia de mandamentos de Deus, e você provavelmente já sabe algumas das coisas que ele quer que você faça. Comece dali. Ore, obedeça e comece a desfrutar da paz resultante do estudo obediente da Bíblia.

Agora avalie sua vida à luz desses mandamentos. Se você acha que as coisas anteriormente alistadas não compõem parte ativa de sua vida, então é bastante evidente que você precisa mudar sua forma de estudar a Bíblia. Se essas coisas não se manifestam em sua maneira de viver, você está fazendo mau uso da Bíblia. Devemos tomar como propósito para toda a vida o ato de colocar nosso conhecimento em prática, e dificilmente veremos resultados imediatos e drásticos. Mas, se as coisas que você aprende não são traduzidas nas coisas que você faz, então algo fundamental está fora de lugar.

Estudando a Bíblia com fé

Algo que costuma ser ignorado no estudo bíblico é a importância da fé. Mais uma vez, isso remonta à própria natureza das Escrituras. Se a Bíblia é de fato a Palavra de Deus, então essas palavras carregam a mesma autoridade e o mesmo poder do próprio Deus. Toda promessa é sustentada por uma pessoa — a promessa é tão confiável quanto a pessoa que promete. Quando a Bíblia nos dá uma ordem, essa ordem carrega toda a autoridade de Deus. Igualmente, quando a Bíblia faz uma promessa, essa promessa é tão confiável quanto Deus.

Um dos maiores obstáculos da igreja é que os cristãos não estudam a Bíblia com fé. Lemos a Bíblia, mas não agimos como se acreditássemos no que ela diz. Lemos sobre o juízo para aqueles que negam Jesus, mas não mudamos nossa maneira de alcançar as pessoas ao nosso redor. Isso levanta a seguinte questão: nós realmente acreditamos (isto é, temos fé) no que Deus diz? Outro exemplo: a leitura sobre a graça de Deus. A Bíblia diz de forma clara que Deus perdoa (Ef 2.1-9; 1Jo 1.9), porém muitos de nós andam com dúvidas e inseguranças baseadas em ações passadas. Se estudássemos com fé, será que não viveríamos com paz e alegria visíveis?

Se vamos estudar a Bíblia como palavras vindas de Deus, então precisamos acreditar no que ela diz. Devemos estudar a Bíblia com fé absoluta. Quando lemos que Deus faz todas as coisas segundo o propósito da sua vontade (Ef 1.11), é necessário que acreditemos nisso — e vivamos de acordo. Quando lemos que o Espírito Santo nos capacita a fazer morrer os atos do corpo (Rm 8.13), precisamos depositar nossa completa confiança nessa verdade e viver como pessoas capacitadas pelo próprio Espírito de Deus.

A Bíblia e a transformação

Muitas vezes as pessoas saem dos grupos de estudo dizendo: "Esse estudo bíblico foi ótimo". Mas o que realmente querem dizer com isso? Significa que aprenderam algo ou que se sentiram acusadas em certos pontos? Ou fazem tal comentário porque sua vida foi de fato transformada? O bom estudo da Bíblia leva à transformação. Pode não acontecer de uma só vez, mas deveríamos estar visivelmente diferentes em razão de nosso tempo com as Escrituras.

Já tratamos rapidamente do texto de Hebreus 4.12: "A palavra de Deus é viva e eficaz, e mais afiada que qualquer espada de dois gumes; ela penetra até o ponto de dividir alma e espírito, juntas e medulas, e julga os pensamentos e intenções do coração". A Bíblia não é apenas um objeto inanimado que estudamos e de onde extraímos informação. Ela tem vida própria. Age. *Ela nos lê*; penetra até as partes mais profundas de nosso ser e discerne nossas motivações. Uma vez que Deus é um Deus vivo, sua Palavra está viva, e ele age por meio dela para transformar cada parte de nosso ser.

Tiago usou uma imagem impressionante para enfatizar a necessidade de sermos transformados pela Bíblia:

> Sejam praticantes da palavra, e não apenas ouvintes, enganando-se a si mesmos. Aquele que ouve a palavra, mas não a põe em prática, é semelhante a um homem que olha a sua face num espelho e, depois de olhar para si mesmo, sai e logo esquece a sua aparência. Mas o homem que observa atentamente a lei perfeita, que traz a liberdade, e persevera na prática dessa lei, não esquecendo o que ouviu mas praticando-o, será feliz naquilo que fizer.
>
> Tiago 1.22-25

Tiago comparou o processo de estudar a Bíblia com um homem diante de um espelho. Assim como o espelho, a Bíblia tem a capacidade de revelar a verdade acerca de nossa condição. Primeiro, Tiago descreve um homem que olha para o espelho, vê claramente o reflexo e depois vai embora sem fazer nada. Esse homem é claramente tolo, mas também representa com exatidão o modo como a maioria dos cristãos estuda a Bíblia. Leem sua Bíblia, veem a verdade que exige transformação e depois vão embora como se nada tivesse acontecido.

Tiago contrastou esse tolo com o homem que faz algo acerca do que vê no espelho. Essa pessoa lê a Palavra de Deus, dá valor ao que vê e depois age de acordo. Tiago é claro ao afirmar que gente assim será abençoada no que faz. Não há recompensa para quem somente escuta a Bíblia. O estudo da Bíblia é incompleto e ilegítimo até que se converta em obediência e nos transforme.

Mais uma vez, portanto, temos de fazer a pergunta: por que estudar a Bíblia? Você quer ser mudado? Ou está estudando para adquirir conhecimento?

Tiago seguiu sua poderosa metáfora com estas surpreendentes palavras:

> Se alguém se considera religioso, mas não refreia a sua língua, engana-se a si mesmo. Sua religião não tem valor algum! A religião que Deus, o nosso Pai, aceita como pura e imaculada é esta: cuidar dos órfãos e das viúvas em suas dificuldades e não se deixar corromper pelo mundo.
>
> Tiago 1.26-27

Novamente ele afirma que haverá aqueles que "enganam-se a si mesmos". Não seja um deles. Se você se considera religioso, mas não age de acordo com a verdade de Deus, as Escrituras dizem que sua "religião" não tem valor algum. Não se iluda — a verdadeira religião não diz respeito ao que você sabe; diz respeito a pôr em prática o que você sabe sobre Deus e sua Palavra.

Deus tem sido tão gracioso ao falar conosco. Suas palavras conduzem à vida. Elas nos libertam! Boa parte das bênçãos de Deus resulta de ouvir sua voz e pôr sua Palavra em prática. Seria uma pena se somente estudássemos e não permitíssemos que essas palavras nos abençoassem como ele pretendia.

Questões práticas e desafiadoras

1. Descreva sua experiência com o estudo da Bíblia. Que abordagens você utiliza? O que tem sido eficaz? O que tem sido ineficaz? O que você tem aprendido com essa experiência?
2. O que você entende por "ter alegria" na leitura da Bíblia? Já experimentou algo assim? Se sim, como foi? Se não, por que, a seu ver, você nunca desfrutou da Bíblia?
3. Leia todo o salmo 119. O que você considera admirável, desafiador ou encorajador nessa passagem bíblica?
4. Em termos práticos, o que significa estudar a Bíblia em oração? O que você pode fazer para alicerçar seu estudo bíblico na oração e na dependência de Deus?
5. Dedique um instante para refletir nos mandamentos que você sabe que Deus quer que todos nós sigamos (por exemplo, amar as pessoas à nossa volta, perdoar os outros, orar etc). Faça uma lista dessas coisas.
6. Separe um minuto para examinar sua vida à luz do que você já sabe sobre a Bíblia. Se você acha que não tem aplicado a verdade bíblica à sua vida, então que mudanças precisa fazer em relação à sua maneira de estudar as Escrituras?
7. Com suas palavras, explique o que significa estudar a Bíblia com fé. Você vê isso acontecendo em sua vida? Como?
8. Dedique um minuto para analisar tudo em que você refletiu nesta lição. Que mudanças você precisa fazer em seu jeito de estudar a Bíblia?

9. Passe algum tempo em oração. Peça a Deus que lhe dê um coração voltado para a Palavra. Peça-lhe que o ajude a abordar a Palavra com dedicação e obediência.

Assista ao vídeo.

9

Estudando de forma lógica

Como dissemos no capítulo anterior, um estudo acadêmico das Escrituras não assegura uma interpretação apropriada. Se o estudo da Bíblia dissesse respeito exclusivamente a questões acadêmicas, então o melhor a fazer seria encontrar a pessoa mais inteligente que conhecemos e pedir que ela interpretasse as Escrituras para nós.

Mas, embora seja verdade que o estudo rigoroso não garanta resultados corretos, isso não significa que o trabalho árduo e a abordagem lógica das Escrituras sejam insignificantes. Pelo contrário, não somente são úteis, mas também necessários e recomendados: "Procure apresentar-se a Deus aprovado, como obreiro que não tem do que se envergonhar e que maneja corretamente a palavra da verdade" (2Tm 2.15).

Deus chama você a "apresentar-se aprovado". A preguiça é indesculpável. Estamos estudando as próprias palavras que Deus escolheu para se comunicar conosco; então, além de estudar em oração e obediência, devemos estudar com diligência. Deus nos chama a amá-lo com nossa mente (Mt 22.37); portanto, é um ato de adoração usar nossa inteligência para entender seus pensamentos, que, por sua vez, nos levarão a amá-lo ainda mais.

Temos o costume de ouvir com atenção quando há consequências caso não o façamos. É como interpretar mal as instruções de trânsito e acabar perdido e frustrado. Acaso não é muito mais importante entender de fato o que Deus está lhe dizendo? Como cristãos, nós afirmamos basear nossa vida no ensino da Bíblia. Mas e se interpretarmos mal esse ensino?

A verdade é que todos nós interpretamos errado certas passagens das Escrituras. Se todos entendêssemos a Bíblia perfeitamente, concordaríamos em cada ponto da doutrina. Obviamente, não é esse o caso. Há muitos fatores que nos levam a interpretar mal o que a Bíblia diz: nossas suposições, a confiança cega nas opiniões de pessoas que são influentes em nossa vida, nosso desejo pecaminoso de agir por conta própria etc. Todos esses fatores são intensificados quando não prestamos a devida atenção ao que a Bíblia realmente diz, e não ao que achamos que diz.

É bom que tenhamos em mente alguns princípios gerais para a interpretação das Escrituras.

Considere o contexto

Todo texto pertence a um contexto. Todo capítulo, parágrafo, frase e palavra derivam seu significado de sua relação com as palavras, frases, parágrafos e capítulos à sua volta. Isso se aplica aos livros comuns e, sem dúvida, à própria Bíblia.

Considere a simples palavra *folha.* Sabemos o que significa (e se não soubéssemos, facilmente encontraríamos sua definição no dicionário). No entanto, *folha* significa coisas diferentes em contextos diferentes. Como decidir que *folha* se refere a um pedaço de papel ou à parte laminar e verde de plantas e árvores? Observando o contexto. Não é complicado, mas é absolutamente essencial para determinar o significado da palavra.

Não costumamos pensar nisso porque ler palavras em seu contexto é natural para nós — talvez nem lhe tenha ocorrido estar pensando em termos de contexto neste exato momento, conforme lê estas frases. Enquanto lê, você está decidindo o que estas palavras significam com base nas palavras ao redor delas. Quando depara com uma palavra ambígua (como a palavra *termos*, que pode significar "modos de proceder" ou ser uma conjugação do verbo "ter", dependendo do contexto), você automaticamente escolhe a definição apropriada baseada no contexto.

O objetivo de usar esses exemplos simples é enfatizar um aspecto essencial do estudo da Bíblia: para entender uma palavra, um versículo, um capítulo ou um livro específico, precisamos considerá-los à luz do contexto. Com demasiada frequência, versículos são lidos e citados de forma isolada. Embora isso não seja necessariamente errado, aumenta muito a chance de má interpretação.

Eis um método útil para captar a ideia: ao estudar a Bíblia, pense na maçã, e não na tangerina. De modo geral, ao comer uma maçã, você dá uma mordida na fruta inteira. Quando come uma tangerina, você a divide em gomos e depois come as partes individualmente. Sempre que lemos um versículo, devemos ter em mente que estamos pegando (ou "mordendo") um pedaço de uma história mais ampla. Tenha sempre em mente que cada versículo está ligado a um capítulo, a um livro e à Bíblia inteira.

Uma das melhores coisas a fazer para entender o contexto é ler a Bíblia em sua totalidade. Alguns fazem isso a cada dois anos; outros, anualmente; e outros com mais regularidade. Seja qual for sua abordagem, quanto mais frequentemente você lê, melhor entende a história completa.[1]

Saiba a diferença entre interpretação e aplicação

Talvez o erro mais cometido na interpretação da Bíblia ocorra quando as pessoas enfocam demais "o que este versículo significa *para mim*". Não é incomum ver grupos de estudo nos quais os participantes, sentados em círculo, partilham cada um sua interpretação individualizada. Com frequência essas interpretações se baseiam em pouco estudo e são fortemente influenciadas por opiniões e desejos particulares. Muitas vezes, as diversas interpretações são incompatíveis entre si. Nesse tipo de cenário, o foco não está no que Deus está dizendo por meio da Bíblia. Pelo contrário, cada um está focado no que imagina que o versículo significa. Bem articulada ou não, essa prática revela o pressuposto de que a Bíblia tem um significado personalizado para cada cristão. Pode significar uma coisa para mim, mas outra coisa para você.

Não quero desmerecer completamente essa abordagem. Por um lado, muitas passagens bíblicas têm sutilezas de significado, e você pode perceber algo que outros deixam passar. Nesse sentido, "sentar em círculo" pode ser um exercício bastante útil. Mas isso não é o mesmo que dizer que a Bíblia tem um significado personalizado para cada um de nós. Uma vez que entramos nessa estrada, não há mais isso de "má interpretação", e as pessoas ficam livres para fazer as Escrituras dizerem qualquer coisa. É importante entender que a Bíblia significa o que Deus pretende que ela signifique. Quando pedimos que nossos filhos lavem a louça, temos uma mensagem clara que queremos passar e esperamos que eles entendam o que queremos dizer com essa afirmação. Da mesma forma, Deus tem uma mensagem para passar, e todos nós precisamos trabalhar juntos para examinar as palavras de Deus e descobrir o que ele está de fato nos dizendo.

Às vezes, quando falamos de "o que esta passagem significa para mim", tratamos na verdade de aplicação, e não interpretação. *Interpretação* indica que estamos perguntando o que a passagem diz e o que significa. *Aplicação* indica que empregamos aquele significado em nossa situação específica. Em conclusão, cada passagem tem seu significado, mas pode ter diversas aplicações.

Por exemplo, em Mateus 22.39, Jesus citou Levítico 19.18, que diz: "Ame o seu próximo como a si mesmo". É bem fácil captar o significado: precisamos amar as pessoas que Deus colocou ao nosso redor. Mas como aplicamos essa verdade à nossa vida? Alguém pode aplicá-la ajudando um vizinho com seu trabalho no quintal, e outra pessoa pode aplicá-la ouvindo amavelmente um colega de trabalho que compartilha suas preocupações familiares. No dia seguinte, ambos podem aplicar a mesma verdade à sua vida de maneiras diferentes.

A *aplicação* depende de nossa situação de vida, de modo que podemos todos ler a mesma passagem e derivar dela aplicações diferentes. A *interpretação*, por outro lado, consiste em descobrir o que Deus de fato disse e o que ele pretendia comunicar. Devemos todos ler a mesma passagem e atribuir a ela um único significado.

Encontre o significado evidente

Por vezes nossas agendas ou suposições pessoais nos desviam do que Deus está dizendo numa passagem bíblica. Por exemplo, em Lucas 12.33, Jesus disse: "Vendam o que têm e deem esmolas". Muitas vezes nós lemos um versículo assim e dizemos: "Certo, é claro que Deus não está pedindo que eu *literalmente* venda meus bens e dê aos necessitados. Esta passagem deve significar __________". Sério mesmo? Porque parece claro que Jesus está dizendo que esses discípulos deviam literalmente vender suas posses e dar aos necessitados. E a observação do contexto do ensino e do ministério de Jesus só reforça o significado literal dessa passagem. Com base no restante do livro de Lucas, esse é exatamente o tipo de coisa que Jesus chamaria seus seguidores a fazer.

O fato de que Jesus chamou seus discípulos para vender algumas posses naquele momento da história não quer dizer necessariamente que todo cristão tem de vender todos os seus bens em todos os momentos, mas o ponto é que nossas prioridades podem nos impedir de até mesmo considerar algo assim. Se Jesus chamou seus discípulos para vender algumas de suas coisas e usar o dinheiro para atender as necessidade dos pobres, não deveríamos estar abertos ao chamado de fazer a mesma coisa hoje?

Precisamos aprender a entender as Escrituras ao pé da letra. Embora algumas seções da Bíblia sejam difíceis de compreender (2Pe 3.16), boa parte dela é facilmente entendida. Quando lemos que "quem é dominado pela carne não pode agradar a Deus" (Rm 8.8), temos de estudar cuidadosamente o versículo e seu contexto para decidir o que significa ser "dominado pela carne", mas o significado evidente do versículo é claro: Deus não quer que sejamos dominados pela carne.

Outras passagens são mais difíceis. O que acontece quando lemos uma das muitas porções do Antigo Testamento que parecem tão distantes da nossa realidade? Em Êxodo 17, por exemplo, Israel entra em guerra contra os amalequitas. Enquanto Josué lidera o exército na batalha, Moisés se senta no topo de uma colina e mantém seus braços erguidos no ar. A Bíblia diz: "Enquanto Moisés mantinha as mãos erguidas, os israelitas venciam; quando, porém, as abaixava, os amalequitas venciam" (Êx 17.11). Este é um relato fascinante, mas como devemos interpretá-lo? Todos nós provavelmente concordaremos que o versículo não está nos dizendo para subir numa colina e manter nossas mãos no ar. Deveríamos então buscar um significado espiritual que reside debaixo da superfície? Talvez o versículo queira dizer que devemos manter nossas mãos e nosso coração apontados para o céu se quisermos derrotar nossos inimigos espirituais. Ainda que possa ser verdade, não há indicação de que é isso que Deus está nos dizendo nessa passagem.

Se tomarmos esse versículo ao pé da letra, o leremos como uma descrição do modo incomum pelo qual Deus usou Moisés para levar Israel a uma vitória na histórica batalha contra os amalequitas. Por meio dessa história podemos adquirir uma percepção do poder de Deus e de sua capacidade de salvar seu povo, mas essas percepções não alteram o significado evidente do que Deus registrou em Êxodo 17. Pode parecer mais "espiritual" buscar algum significado mais profundo por trás do texto, mas o que pode ser mais espiritual que tomar o texto de Deus ao pé da letra?

A Bíblia é um livro fascinante. É a comunicação do Criador do Universo com seu povo. Deus escreveu a Bíblia usando linguagem humana, em palavras que entendemos e usamos todos os dias. Ele escolheu se comunicar por intermédio de um livro e obviamente tem a capacidade de comunicar sua mensagem de forma clara.

Se dissermos que não devemos tomar as palavras de Deus ao pé da letra, que precisamos descobrir algum tipo de significado escondido por trás do sentido evidente das palavras das Escrituras, então estamos dizendo que Deus está usando linguagem humana de uma forma diferente do jeito humano de usá-la. Mas não temos absolutamente nenhuma indicação de que seja esse o caso. Pelo contrário, quando Deus falou com os seres humanos na Bíblia, eles o entenderam e agiram de acordo com o significado evidente de suas palavras. Quando Deus disse ao povo de Israel que construísse um tabernáculo, eles não apresentaram uma espécie de dança como interpretação espiritual de suas palavras. Em vez disso, tomaram as palavras ao pé da letra e criaram um tabernáculo em conformidade com o significado evidente das palavras de Deus. Nossa forma de lidar com as Escrituras deve ser a mesma.

Leia a Bíblia de forma literal

Há uma antiga declaração que vale a pena repetir aqui: se o literal faz sentido, não busque outro sentido. Precisamos ser cuidadosos com isso porque ainda temos de determinar quando o sentido literal realmente faz sentido. Mas esse preceito envolve um ponto importante: devemos buscar o significado evidente das palavras das Escrituras. Quando examinamos cada palavra, versículo, capítulo e livro, precisamos deixar que o contexto sugira se aquele trecho deve ser tomado como afirmação literal, pergunta retórica, figura de linguagem etc.

Aceitar a Bíblia como verdade literal não significa que interpretaremos cada passagem literalmente. Quando lemos a Bíblia, encontramos muitos casos em que o autor usa metáforas, parábolas, poemas, profecias e outros recursos literários. Por exemplo, quando Jesus disse: "Eu sou a porta" (Jo 10.9), ele estava usando uma metáfora. Nós entendemos que ele não estava afirmando ser feito de madeira nem estar preso a um batente. Jesus estava transmitindo verdade literal, mas para isso usava uma figura de linguagem.

Observe, porém, que não se trata de usar algum tipo estranho de interpretação alegórica ou espiritual. Estamos seguindo o uso normal da linguagem humana, que dá permissão para metáforas, ilustrações ou outros recursos retóricos. Assim, quando dizemos que precisamos ler a Bíblia de forma literal, temos de ser cuidadosos para entender o que estamos realmente afirmando. O que queremos dizer é que tomaremos as Escrituras ao pé da letra e que, quando o contexto sugerir que o autor está empregando uma figura retórica ou algum tipo de ilustração poética ou profética, seguiremos as regras normais da linguagem humana e interpretaremos a passagem nesse sentido.

Não interprete mal — isso nem sempre é tarefa fácil. Como ilustração, considere o fato de que assembleias inteiras se formaram para discutir quais porções do livro de Apocalipse devem ser lidas de forma literal e quais devem ser lidas de forma figurada. Com frequência discutiremos sobre quais passagens específicas estão falando literalmente e quais estão usando recursos retóricos. Isso significa que precisamos ser amáveis quando discutimos a Bíblia. Há espaço para discussão e análise — de fato, Deus é glorificado quando examinamos a Bíblia juntos, com humildade e paciência. O ponto é basicamente este: considere as palavras de Deus ao pé da letra e faça o que ele lhe ordena fazer.

Estude o contexto gramatical

Como vimos, Deus usou linguagem humana para escrever a Bíblia. Ele guiou autores humanos para usar gramática e palavras humanas a fim de registrar sua verdade. Portanto, faz total sentido prestar atenção à gramática da Bíblia. Isso não significa que você tenha de ser um especialista em gramática para ler as Escrituras (embora Deus de fato presenteie a igreja com tais pessoas para orientar o restante de nós), mas devemos prestar atenção ao modo como as palavras são usadas na Bíblia.

Os autores bíblicos costumam prestar bastante atenção à gramática. Para dar um exemplo, Paulo fez uma afirmação teológica importante baseada no uso de um substantivo singular (e não plural) em Gênesis 12:

> Assim também as promessas foram feitas a Abraão e ao seu descendente. A Escritura não diz: "E aos seus descendentes", como se falando de muitos, mas: "Ao seu descendente", dando a entender que se trata de um só, isto é, Cristo.
>
> Gálatas 3.16

Isso não significa que sempre encontraremos preciosidades interpretativas ao examinar a gramática; mas, quando se trata de passagens difíceis, faremos perguntas como as seguintes:

- Quem está realizando a ação aqui? (Encontre o sujeito.)
- Que ação o sujeito está executando? (Encontre o verbo.)
- Como o sujeito e o verbo estão descritos? (Encontre os adjetivos e advérbios.)
- Quem ou o que está sendo realizado? (Encontre os objetos diretos e indiretos.)

Na maior parte do tempo, fazemos esse tipo de análise de modo automático, sem nem mesmo refletir sobre aquilo que analisamos. (Você acabou de fazer isso com a frase anterior e agora está fazendo de novo.) Mas, quando deparar com uma passagem que parece difícil, tente dividi-la e examinar o que está realmente acontecendo em cada frase. As palavras de Deus merecem uma análise desse nível.

Estude o contexto histórico

O cenário histórico muitas vezes lança luz sobre o significado de uma passagem. Às vezes isso exige recursos externos, como uma Bíblia de estudo, um dicionário ou comentário bíblico. Com frequência, porém, as percepções históricas podem ser encontradas na própria Bíblia. Por exemplo, boa parte do Antigo Testamento é composta de relatos históricos detalhados. E muitos livros do Novo Testamento oferecem percepções históricas — sobretudo os evangelhos e o livro de Atos.

Considere apenas um exemplo de como o cenário histórico pode nos ajudar a entender a Bíblia. Entre em qualquer livraria cristã e você vai encontrar paredes decoradas com bugigangas exibindo Jeremias 29.11: "'Porque sou eu que conheço os planos que tenho para vocês', diz o Senhor, 'planos de fazê-los prosperar e não de lhes causar dano, planos de dar-lhes esperança e um futuro'". As pessoas adoram esse versículo porque o interpretam como se Deus estivesse dizendo que nos guardará do perigo e nos abençoará. Mas o que Jeremias realmente pretendia comunicar para nós?

Se olharmos para o contexto histórico, descobriremos que Jeremias estava escrevendo para os judeus exilados na Babilônia. Eles haviam ido para o cativeiro como punição por sua falta de fidelidade a Deus. Jeremias lhes disse que ficariam no cativeiro por setenta anos, de modo que deveriam se instalar e procurar abençoar a Babilônia enquanto estivessem ali. E então vem Jeremias 29.11. Deus prometeu que tinha de fato um plano para seu povo, e ele o restauraria à terra de Israel depois que seus dias de exílio terminassem.

O contexto histórico revela que Jeremias 29.11 não é uma promessa de cheque em branco assinado por Deus, assegurando que nada ruim acontecerá com qualquer um de nós hoje. Temos muito a aprender com a provisão de Deus para Israel em meio a seu exílio e punição. Podemos até mesmo fazer observações sobre a compaixão de Deus nessa história e confiar que esse mesmo Deus compassivo cuidará de nós hoje. Contudo, estaríamos fazendo mau uso das Escrituras se presumíssemos que essas palavras podem ser aplicadas diretamente a cada circunstância como promessa de prosperidade. O contexto histórico nem sempre afeta o significado de uma passagem, mas devemos sempre considerar a quem os autores bíblicos se dirigiam e por que o faziam.

Desprenda-se de sua bagagem

Por mais importante que seja prestar atenção ao contexto das passagens que lemos, o grande perigo na interpretação bíblica provém de nossa própria "bagagem". Por exemplo, muitos de nós presumimos que Jesus é um homem branco, de olhos e cabelos claros, como representado em imagens pelo mundo afora. Talvez não seja o caso. Muitas vezes, presumimos que Deus quer que sejamos felizes, saudáveis e realizados porque essa é a mensagem que recebemos de todo mundo ao nosso redor. Mas, repito, não é esse o caso. Leia a Bíblia com cuidado e você perceberá que Deus não necessariamente deseja essas coisas para nós, pelo menos não da maneira como nossa cultura as define e as persegue.

As experiências de vida também podem comprometer nossa forma de ler a Bíblia. Aqueles que foram abandonados ou abusados por seus pais podem ter mais dificuldade para entender o que a Bíblia diz sobre nosso amoroso Pai celestial. Aqueles que foram criados com poucas regras e pais fracos podem achar difícil enxergar o poder e a soberania de Deus. Nossas experiências têm impacto em nossos desejos, os quais, por sua vez, afetam nossas interpretações.

Quando lemos a Bíblia, precisamos fazer tudo o que estiver ao nosso alcance para evitar suposições sobre o que ela está dizendo. Precisamos deixá-la falar por si mesma. Estamos todos contaminados pelos compromissos e pressupostos de nossa cultura. Também fomos fortemente afetados por nossas experiências de vida, mas, quanto mais nos desprendemos de nossa bagagem e pedimos a Deus que fale diretamente conosco por meio de sua Palavra, mais veremos a verdade de Deus transformando nossa mente e nossas ações e melhor entenderemos a mente de Deus.

Um comentário sobre aplicação

Não se esqueça do que você leu neste capítulo. Interpretar a Bíblia de forma precisa não é a etapa final. O propósito da leitura e da interpretação da Bíblia é a obediência e a comunhão com Deus. Se interpretamos as Escrituras perfeitamente, porém falharmos em viver de acordo com o que lemos, estamos enganando a nós mesmos (Tg 1.22). Deus nos deu a dádiva preciosa que é a Bíblia para que fôssemos transformados por sua verdade, tornando-nos cada vez mais parecidos com ele e crescendo em nosso amor por ele.

Questões práticas e desafiadoras

1. Reflita em sua maneira habitual de estudar a Bíblia. Você diria que se esforça para descobrir o que a Bíblia está realmente dizendo? Você presta atenção ao contexto? Se sim, como isso o tem ajudado? Se não, como, a seu ver, isso poderia mudar sua forma de ler a Bíblia?
2. Com suas palavras, explique por que é importante fazer a distinção entre interpretação e aplicação.
3. Com suas palavras, explique por que é importante procurar pelo significado evidente de cada passagem em vez de buscar um significado mais profundo.
4. Você diria que seu estudo da Bíblia está focado em descobrir o significado evidente de cada passagem? Explique sua resposta.
5. Você tem o costume de interpretar a Bíblia de forma alegórica ou figurada? Se a resposta é "sim", por que, a seu ver, você tende a fazer isso?
6. Com suas palavras, explique por que é importante prestar atenção aos contextos históricos e gramaticais. De que modo esses conceitos influenciam seu estudo da Bíblia?
7. Para você, o que significaria ler a Bíblia estando ciente de sua bagagem e com uma disposição de se livrar desses pressupostos em favor de um entendimento mais claro da verdade de Deus?
8. À luz do que você refletiu ao longo desta lição, em que aspecto você precisa mudar sua forma de abordar a leitura e o estudo da Bíblia?

Assista ao vídeo.

PARTE 4

Entendendo o Antigo Testamento

10

A criação

Preparando o palco

A Bíblia conta uma história. Nós nos acostumamos a ver as Escrituras como um amontoado de fragmentos, com narrativas, poesia e contos morais. Entretanto, na realidade, a Bíblia conta uma história. E é uma história *real*. É uma história que dá sentido à nossa existência, à nossa vida cotidiana e a todas as outras histórias na terra.

Durante a leitura da Bíblia, preste atenção à história que se desenrola. Não pense, contudo, que você está meramente olhando para o passado enquanto lê. Essa é uma história que ainda tem de ser concluída. Embora Apocalipse amarre as pontas soltas e nos conte como terminará a história, nós ainda não chegamos lá. A história prossegue, e cada um de nós tem um papel a exercer. Mas não seremos capazes de cumprir nossa parte sem antes imergir-nos tão profundamente na história a ponto de ela moldar tudo em nossa vida.

Em última análise, essa é uma história sobre Deus, o mundo que ele criou e o incrível plano de redenção que se desenrola a partir do momento em que ele estabelece um povo para sua glória. Ao atravessar os pontos fundamentais da história bíblica ao longo das próximas semanas, certifique-se de pôr-se dentro da história. De que modo as ações, os eventos e as verdades apresentadas na história tangenciam sua vida? Como você deve viver hoje à luz dessa maravilhosa história?

A passagem que você analisará nesta lição (Gn 1—2) prepara o palco para o restante da Bíblia. Neste capítulo, veremos o mundo como ele deveria ser. Veremos Deus formando um mundo que é todo como ele deseja — sem pecado, sem defeito, tudo glorificando a Deus perfeitamente. Compreender essa primeira parte da história nos ajudará a entender tudo que vem em seguida.

Quem é Deus?

A história começa com palavras conhecidas: "No princípio Deus criou o céu e a terra". Com essas palavras somos apresentados ao personagem mais importante da história. É interessante notar que, embora essas sejam as primeiras palavras em toda a Bíblia, o autor não faz uma pausa para nos contar de forma teológica ou filosófica quem é Deus. Existem muitas perguntas que poderíamos fazer neste momento: De onde Deus veio? O que ele estava fazendo antes da criação? Por que, afinal, ele está criando?

Gênesis, contudo, procede de maneira diferente. O autor nos ensina sobre Deus simplesmente nos dizendo o que o Senhor fez: ele criou. Descobriremos muito mais sobre Deus no desenrolar da história, e em certos momentos teremos respostas teológicas específicas para algumas das perguntas que venham a aparecer. Mas é importante deixar que a história conduza nosso entendimento acerca de quem é Deus.

Este é o mundo de Deus

Talvez a coisa mais óbvia que observamos nessa passagem seja o poder absoluto e a glória inigualável de Deus. Quando a história começa, Deus está sozinho. Há grande significado no fato de que Deus é o único personagem em Gênesis 1. Ele é a única pessoa ou objeto eterno no Universo. Isso significa que nada mais pode ser igualado ou sequer comparado a ele.

Permita-se sentir o peso disso por um instante. Houve um tempo em que nosso Universo não existia. Antes de nosso mundo ter início, Deus existia — era bem assim! Então Deus começou a criar nosso mundo a partir do nada, apenas com pronunciamentos. Ele disse à terra para se formar, e ela obedeceu. Ele chamou a luz à existência, e foi o que aconteceu. Cada pequena coisa em nosso Universo veio a existir em obediência à ordem de Deus.

Tente ter uma noção da diferença abissal entre esse Deus todo-poderoso que sempre existiu e a criação que ele chamou à tona usando o repetido refrão: "Haja __________". Não há pessoa, força ou coisa que possa competir com Deus nem reivindicar alguma importância em comparação a ele. É essa distinção absoluta entre Deus e tudo o mais que faz os anjos no céu clamarem: "Santo! Santo! Santo!".

Não podemos ler Gênesis 1—2 sem nos darmos conta de que este mundo pertence a Deus. Se nosso ponto de partida fosse nossa própria percepção do mundo, poderíamos ter a sensação de que o mundo pertence a nós, de que somos os legítimos governantes deste planeta. Mas Gênesis conta uma história diferente. Deus criou este mundo com amor e poder. Nada nem ninguém teve algum lugar neste mundo antes de Deus os colocar em seu lugar adequado. Somente Deus pode requerer a posse deste mundo porque ele o chamou à existência.

Isso deveria nos causar grande humildade acerca de nosso lugar neste mundo. Nós não somos o centro do Universo. Deus criou este mundo e bondosamente nos inseriu no meio dele. Mas todo domínio e autoridade pertencem a Deus. Como veremos, Deus de fato nos delega certa autoridade, mas é uma autoridade derivada, graciosamente concedida a nós por Deus para ser usada de forma específica. Qualquer tentativa de clamar o poder para nós mesmos à parte de Deus é como um vaso de barro desafiando a autoridade do oleiro que o formou. (A propósito, essa é uma ilustração usada pelas Escrituras para descrever a tolice que é desafiar Deus — cf. Is 29.15-16; 45.9-10; Rm 9.19-24.)

À imagem de Deus

Depois de criar cada detalhe de cada aspecto do Universo no qual vivemos, Deus olhou para tudo o que havia feito e declarou que era bom. Porém, no meio desse episódio da criação, Deus fez uma pausa para uma conferência consigo mesmo:

> Então disse Deus: "Façamos o homem à nossa imagem, conforme a nossa semelhança. Domine ele sobre os peixes do mar, sobre as aves do céu, sobre os grandes animais de toda a terra e sobre todos os pequenos animais que se movem rente ao chão".
>
> Gênesis 1.26

Existe algo absolutamente único acerca da humanidade. Por um lado, somos de todo diferentes de Deus porque, assim como tudo o mais na criação, ele nos criou. Por outro lado, *Deus nos criou especificamente para sermos como ele*. Nossa mente é incapaz de captar isso, mas Deus nos criou como ele em algum aspecto e depois nos soltou no meio deste mundo para representá-lo!

Há muitos debates sobre o que exatamente é a "imagem de Deus". Todo mundo parece concordar que ser criado à imagem de Deus é mais que uma semelhança física — ele é *Espírito*, afinal (Jo 4.24). As sugestões acerca de em que consiste a imagem de Deus na humanidade são diversas: nossa capacidade de raciocinar, nossa habilidade de tomar decisões morais, nossa personalidade e nossa capacidade de nos relacionar são as hipóteses predominantes. Outros sugerem que a imagem de Deus se refere ao domínio que Deus concedeu ao homem sobre o restante da criação (relacionando Gn 1.26-27 a Gn 1.28).

Talvez seja melhor não vincular a imagem de Deus a alguma faculdade ou atributo humano. O Novo Testamento nos diz que Jesus Cristo é "a imagem do Deus invisível" (Cl 1.15). Diz ainda que Jesus é "o resplendor da glória de Deus e a expressão exata do seu ser" (Hb 1.3). Parece que ser "à imagem de Deus" tem a ver com refletir Deus de alguma forma. Jesus fez isso perfeitamente, mas à humanidade também foi dada a responsabilidade de mostrar Deus ao mundo — sua obra, sua natureza e seus atributos são exibidos em nós de modo não manifestado no restante da criação. (É claro que essa imagem foi manchada pelo pecado, mas isso acontece depois na história.)

No mundo antigo, os reis construíam uma imagem de si mesmos para ser um anúncio visual de quem estava no comando. Isso fazia o povo do reino e as nações vizinhas lembrarem que aquela terra estava sob a jurisdição e a autoridade do rei. O salmo 8 diz que Deus pôs o ser humano numa posição privilegiada no meio do Universo que ele criou — diz que somos coroados "de glória e de honra" e que recebemos o domínio sobre as obras das mãos dele (v. 5-6). Parece que Deus fez as pessoas para mediar, com humildade e bondade, seu domínio sobre a terra. O ser humano se apresenta como um lembrete de que Deus é o Rei deste mundo.

Portanto, em vez de tentar identificar a imagem de Deus como um aspecto específico da condição humana, talvez devêssemos simplesmente reconhecer que Deus nos fez para refleti-lo ao mundo. Esse Rei é representado por nós perante o mundo, a quem manifestamos sua obra, seus atributos e suas características.

O Deus pessoal de Gênesis 2

Acontece algo interessante quando passamos de Gênesis 1 para Gênesis 2. O capítulo 1 refere-se a Deus pelo título "Elohim", que significa simplesmente "Deus". É como se referir a uma pessoa com base em seu título: "Doutor", "Professor", "Presidente", "Rei" etc. Mas, quando chegamos ao capítulo 2, o nome para Deus muda. Agora a Bíblia se refere a ele como "Yahweh Elohim", que junta o título "Deus" a um nome pessoal: Yahweh. (Por boas, porém complexas, razões, a maioria das traduções em português apresenta *Yahweh* como *o* Senhor [perceba que está tudo em maiúsculas].)

Isso é importante porque Deus costuma usar seu nome pessoal, Yahweh, quando está se relacionando pessoalmente com seu povo. Ele usa o nome Yahweh quando entra numa aliança, por exemplo. Quando faz uma aliança, ele especifica como deve ser seu relacionamento com seu povo, faz promessas e muitas vezes exige obediência em troca. O nome pessoal Yahweh é apropriado para esse tipo de interação.

Gênesis 2 é um relato muito mais intimista das origens do mundo que Gênesis 1. Enquanto Gênesis 1 traz uma visão ampla de como o mundo foi feito, Gênesis 2 vai além desse relato e conta a história de uma forma bem mais singular. Conta a história da humanidade — criada à imagem de Deus — e os privilégios e responsabilidades que Deus lhe deu.

Podemos ver Deus fazendo algo único com a humanidade. Primeiro formou Adão do solo, depois se inclinou e soprou em suas narinas o fôlego da vida. Essa é uma forma de criação bem mais intimista em relação àquela que vimos no capítulo 1, em que Deus simplesmente pronunciou a existência do mundo. Perceba também que Deus falou diretamente com o homem no capítulo 2. Ele falou a Adão sobre o jardim — especificamente, ele disse a Adão o que era permitido ou não comer. Logo de cara vemos que a humanidade foi criada para se comunicar com Deus. Mesmo em seu estado perfeito (antes de o pecado entrar no mundo), Adão era dependente da revelação divina para viver no mundo que Deus criou.

Na sequência, perceba que Deus não quis que o homem ficasse sozinho. Essa é a primeira vez que Deus diz que algo não era bom. Ele decidiu criar para Adão "alguém que o auxilie e lhe corresponda" (Gn 2.18). É fácil imaginar Deus desfrutando de seu relacionamento com Adão e observando amavelmente Adão desfrutar da companhia perfeita que o próprio Deus lhe fazia. Embora seja importante considerar as implicações para o casamento inerentes a essa passagem, devemos enxergar também que Deus não queria que o homem vivesse em isolamento. Ao criar-lhe uma esposa, Deus resolveu a solidão de Adão; entretanto, tenha em mente que Eva não era apenas uma esposa — era outro ser humano. Em outras palavras, Deus projetou os seres humanos para viverem em relacionamentos com outros seres humanos. Isso terá maiores implicações quando começarmos a discutir o conceito de igreja no Novo Testamento.

Vida no jardim

Gênesis 1—2 nos proporciona ainda uma maravilhosa visão de como Deus originalmente pretendia que o mundo fosse. Depois de criar a terra e tudo que nela há, Deus dedicou tempo para plantar um jardim (2.8). Colocou pessoas no meio desse jardim e lhes deu a tarefa específica de "cuidar dele e cultivá-lo" (Gn 2.15).

Às vezes nós pensamos que o trabalho é produto da queda, uma punição pelo pecado. Quando a humanidade pecou, Deus amaldiçoou o solo, e o labor se tornou frustrante e penoso (Gn 3.17-19). Mas a intenção original de Deus para as pessoas era que ficássemos ativamente envolvidos no cuidado da criação. Deus colocou Adão no jardim (tenha em mente que um jardim é diferente de um deserto ou de uma selva no que diz respeito a cuidar, planejar e ordenar) e lhe deu a tarefa específica de trabalhar ali.

Deus pretendia que a humanidade tivesse uma relação de cuidado com o mundo. Ele deu às pessoas domínio sobre a criação, colocando-a sob seus pés (Gn 1.28; Sl 8.5-8), não para que explorassem e destruíssem a terra, mas para que cuidassem dela amorosamente como uma boa criação de Deus que deve ser protegida e desfrutada.

Também é fascinante ler o trecho em que Adão nomeia os animais (2.18-20). Aqui temos outra amostra da interação de Deus com a humanidade num mundo perfeito. Certamente Deus poderia ter ele mesmo nomeado os animais, mas escolheu trabalhar junto de Adão. Nesse ponto inicial da história, fica claro que o domínio de Deus sobre a terra será exercido em conjunto com sua criação principal, Adão.

Não podemos deixar de notar a paz, a harmonia e a perfeita beleza descritas em Gênesis 1—2. Esses capítulos nos proporcionam o retrato do mundo como este deveria ser. É um mundo pelo qual todos ansiamos. Mas esse é apenas o início da história. Como veremos na lição seguinte (e como todos nós já sabemos), algo deu tragicamente errado. No entanto, esse quadro de paz onde tudo funciona em perfeita harmonia reaparecerá. O paraíso que perdemos será por fim recuperado — até superado — quando Jesus voltar para pôr o mundo em ordem.

Questões práticas e desafiadoras

1. Leia Gênesis 1—2. Durante a leitura, procure por elementos que ajudarão a guiar você para a história bíblica. Quem nos é apresentado nesta lição? O que é enfatizado? Qual parece ser o objetivo? Depois de ler estes dois capítulos, faça algumas anotações relativas a essas perguntas.
2. Reserve um momento para refletir no que você leu em Gênesis 1—2. O que as ações de Deus nessa passagem revelam sobre quem ele é?
3. De que modo a eternidade e o poder divino no relato da criação impactam nossa maneira de enxergar Deus e de nos relacionar com ele?
4. De que modo o poder, a autoridade e o domínio de Deus impactam nossa maneira de enxergar nosso lugar neste mundo?
5. Com suas palavras, descreva por que é importante Deus nos ter criado "à sua imagem". De que modo isso impacta nossa maneira de enxergar a nós mesmos e as pessoas à nossa volta?
6. O que podemos aprender sobre seres humanos e seus relacionamentos com Deus e uns com os outros através da leitura de Gênesis 2?
7. Reserve algum tempo para analisar o retrato do mundo apresentado em Gênesis 1—2. Por que esse retrato é tão atraente? Quais aspectos da vida no jardim do Éden nós devemos ansiar por ver restaurados em nosso mundo?

Assista ao vídeo.

11

A queda

Talvez você não se dê conta, mas sente ainda hoje o resultado do pecado de Adão e Eva. De fato, você não consegue passar cinco minutos sem deparar com os efeitos da queda. Cada aspecto da criação de Deus está de algum modo contaminado ou distorcido pelo pecado. Em toda parte para onde olharmos, veremos sofrimento, rebeldia, fragilidade, desesperança e aflição.

Mesmo em nosso coração, nós vemos a influência do pecado. Estamos numa batalha, e sentimos isso todos os dias. Não importa quanto queiramos honrar a Deus, o pecado nos grita de todos os lados, implorando que nos rebelemos contra Deus e busquemos nossos desejos. Lutamos contra as tentações e temos dificuldade para obter sentido das coisas que acontecem à nossa volta. Cada um de nós tem o senso profundo de que o mundo não é como deveria ser.

Como chegamos a esse ponto? Os primeiros dois capítulos de Gênesis descrevem uma existência maravilhosa, mas o capítulo seguinte dá uma guinada sombria. Gênesis 3 descreve o fracasso trágico de Adão e Eva — sua queda no pecado — e seu impacto avassalador em nosso mundo.

A história toma um rumo inesperado

Os capítulos iniciais de Gênesis pintam um retrato paradisíaco da terra: o mundo tal como foi intencionado por Deus. Tudo é bom; não há pecado, tristeza, dor nem morte. A humanidade vive em perfeita comunhão com Deus, uns com os outros e com a criação.

Mas, ao virarmos a página de Gênesis 2 para Gênesis 3, a história dá uma guinada para pior. Nós nos referimos a essa trágica parte da história como "a queda", que nos afetou a todos até o cerne de nosso ser.

Enquanto Adão e Eva cuidavam alegremente da criação de Deus, a serpente (que descobrimos mais tarde ser Satanás — cf. Ap 12.9) entra em cena. De modo aparentemente inocente, ela faz a Eva uma pergunta simples: "Foi isto mesmo que Deus disse: 'Não comam de nenhum fruto das árvores do jardim'?" (v. 1). Deus tinha dado a Adão e Eva todas as árvores do jardim como alimento e havia proibido apenas que comessem da árvore do conhecimento do bem e do mal. Todavia, como era de imaginar, era naquela única árvore que Satanás desejava que Eva pensasse. Ele queria que Eva experimentasse a sensação de que Deus a estava privando de algo. Disse-lhe que comer o fruto proibido lhe abriria os olhos, de modo que ela seria como Deus. Satanás prometeu coisas boas.

É claro, a vida no jardim do Éden era cheia de coisas boas desfrutadas mediante a graça e a presença de Deus. Mas Satanás começou a prometer coisas boas obtidas *sem Deus*. Com esse simples truque, o mundo que Deus criou para ser "muito bom" transformou-se drasticamente.

Preste atenção à chave dessa história: Satanás é sutil. Ele não aparece vestido numa capa vermelha, com um tridente, dizendo: "Eu sou Satanás e vim aqui para destruí-lo. Siga-me". Pelo contrário, ele vem até nós de maneiras inesperadas e nos oferece coisas que parecem boas. Foi isso que ele fez no jardim, e é isso que ele faz hoje. Ele engana pessoas fazendo falsas promessas. Pega o que é mal e faz parecer bonito. Pega a verdade e a distorce.

Também é importante notar que Satanás entra na cena bíblica como parte da criação de Deus. Isso significa que ele não é onipotente. Ele só está vivo porque Deus lhe dá vida. Ele é mortalmente enganador; seu poder, porém, é infinitamente menor que o poder de Deus. Portanto, não devemos ficar atemorizados com o poder de Satanás, mas de fato precisamos ter cautela com suas mentiras e manipulação.

No caso de Adão e Eva, o astuto Satanás evitou pedir-lhes diretamente que rejeitassem Deus. Em vez disso, ofereceu-lhes o conhecimento do bem e do mal. Ele lhes deu a oportunidade de estar no comando, de decidir por conta própria a diferença entre o bem e o mal. Deus criou as pessoas para serem dependentes dele (isso não é algo ruim, diga-se de passagem!), mas, desde a queda, o pecado envolve homens e mulheres que reivindicam o direito de governar a si mesmos. O pecado é sempre uma declaração de autonomia.

Deus tinha dado a Adão e a Eva palavras específicas a serem seguidas, mas eles falharam em enxergar a Palavra de Deus como autoridade suprema. Permitiram que as palavras de outro alguém tivessem peso. Trataram a palavra de Deus como uma autoridade menor, colocando seus desejos acima da vontade divina. Sempre que desobedecemos aos mandamentos de Deus, rejeitamos sua autoridade e declaramos a nossa. Basicamente, dizemos: "Deus, você pode ser o autor da minha vida, mas não é a autoridade em minha vida. Sou eu que escolho o que faço, e não você. Eu estou no controle aqui, e não você".

O mundo se torna um lugar diferente

Daquela ocasião em diante, a história bíblica fica saturada dos efeitos da queda. De repente as pessoas se veem separadas de Deus, dos que estão ao redor e da criação. Enquanto outrora Adão e Eva desfrutavam de comunhão perfeita com Deus, agora, envergonhados, escondem-se dele, e são expulsos como exilados do paraíso que havia sido seu lar. Outrora desfrutavam de um relacionamento perfeito um com o outro; agora sua relação está cheia de vergonha, desconfiança e culpa. Outrora cuidavam felizes da criação; agora provam de dores de parto, maldição sobre o solo e promessa de labuta no trabalho de que antes desfrutavam.

Os efeitos do pecado são também conhecidos como "maldição". Em resposta ao pecado dos primeiros seres humanos, Deus amaldiçoou: 1) a serpente; 2) Eva; 3) Adão; e 4) o restante da criação. À serpente foi imputada a maldição de rastejar sobre o ventre e, com sua descendência, viver em inimizade com o descendente da mulher. A maldição reservada a Eva foi o sofrimento ao dar à luz filhos e os conflitos com seu esposo. Adão foi amaldiçoado com sofrimento e frustração no trabalho do solo. E, na conta de Adão, o restante da criação foi amaldiçoado com a produção de espinhos e ervas daninhas, ou, como declarou Paulo mais tarde, a criação foi "submetida à inutilidade" e foi colocada em "escravidão da decadência" (Rm 8.20-21). É claro que a maior consequência foi a morte — morte espiritual imediata e morte física definitiva.

Muitos cristãos ouviram a história da queda tantas vezes que ficaram anestesiados em relação ao tamanho da tragédia. Não sabemos quanto tempo Adão e Eva viveram no jardim, mas eles literalmente viveram no paraíso. Habitaram um mundo perfeito onde tudo e todos faziam exatamente o que Deus lhes havia designado a fazer. Eles de fato provaram uma relação humana perfeita! Desfrutavam de um relacionamento com Deus — a ponto de caminharem com ele pelo jardim! Estamos tão longe dessa realidade que ela nos é completamente inimaginável.

Então eles perderam isso. A ação em si pode parecer inofensiva (quanto dano um pedaço de fruto pode causar?), mas o ato externo representava algo muito mais sinistro. O primeiro pecado foi rebeldia, idolatria, traição e orgulho, tudo numa única mordida. Adão e Eva fizeram uma escolha consciente de se rebelar contra seu Criador e viver de acordo com os próprios termos. E nós imitamos a decisão deles toda vez que preferimos nossos desejos aos de Deus.

De Caim a Babel

À medida que viramos as páginas após Gênesis 3, vemos o desenrolar dos efeitos do pecado. Primeiro vemos Caim matar Abel.

Quando o sacrifício de Abel agradou a Deus e a oferta de Caim não, este agiu movido de ciúmes e cometeu o primeiro assassinato. Como se isso não fosse ruim o bastante, logo na sequência encontramos Lameque escrevendo o primeiro poema registrado na Bíblia com o objetivo de vangloriar-se de ser ainda mais vingativo que Caim. Está claro que teve início ali uma tendência na direção errada.

De fato, o pecado e a rebeldia se espalham tão depressa que, antes de a história ir muito adiante, Deus sentiu a necessidade de destruir o mundo inteiro. Esse é um austero lembrete da devastação que tão rapidamente recai sobre nós quando vivemos à parte de Deus. Gênesis 6 começa com uma análise perturbadora: "O SENHOR viu que a perversidade do homem tinha aumentado na terra e que toda a inclinação dos pensamentos do seu coração era sempre e somente para o mal" (v. 5). A criatura que Deus formara à sua imagem para ser seu representante na terra havia agora ficado tão distorcida a ponto de sua mente e vontade serem descritas como "*sempre e somente para o mal*".

Em seguida, Deus puniu o homem por sua rebeldia. Enviou um dilúvio que destruiu toda gente na face da terra, com exceção de Noé e sua família. O propósito de Deus para a raça humana recomeçaria por intermédio de Noé e seus descendentes. Alguém poderia pensar que o horror do dilúvio faria os descendentes de Noé viverem em obediência, mas logo depois do dilúvio vemos a humanidade se juntando em rebelião contra Deus.

Dessa vez as pessoas se reuniram em Babel para construir uma torre que alcançasse os céus. O propósito era que, unidos nesse grande projeto, eles estabelecessem um nome para si. Mais uma vez, Deus olhou para a declaração de autonomia da humanidade e destruiu o fruto de sua rebeldia. Confundiu a língua deles e os espalhou por toda a terra. Quando chegamos ao fim de Gênesis 11, a capacidade humana de representar fielmente Deus na terra — viver como portadores de sua imagem — está posta em xeque.

A história continua, apesar do pecado

Felizmente, a história bíblica não termina com Gênesis 11! Precisamos entender que a Bíblia poderia ter parado em Gênesis 11, e Deus teria sido completamente justo e amoroso ao dar cabo da raça humana ali mesmo. Contudo, em sua perfeita sabedoria, Deus manteve a história em movimento. Agora o palco para o plano divino de redenção estava montado. Deus conferiu ao ser humano uma responsabilidade, mas o homem falhou por completo e agora precisa de alguém para redimi-lo.

Mesmo nesses estágios iniciais da história, vemos *flashes* da vontade divina de resgatar e redimir a humanidade. Logo após Adão e Eva se rebelarem, o texto bíblico (Gn 3.15) trata da promessa divina de que haverá inimizade entre a serpente e a mulher, e entre a descendência da serpente e o descendente da mulher. Deus diz: "Este lhe ferirá a cabeça, e você lhe ferirá o calcanhar". Essa imagem é uma ilustração da batalha futura entre Cristo e a serpente, e temos a garantia de que a serpente será esmagada. Quando chegamos ao Novo Testamento, vemos Paulo encorajando os cristãos em Roma com a promessa de que "em breve o Deus da paz esmagará Satanás debaixo dos pés de vocês" (Rm 16.20).

Ficamos ainda mais esperançosos quando Deus faz uma aliança com Noé (Gn 6.18; 9.9). Uma aliança é uma promessa de Deus, um acordo pelo qual Deus abençoará seu povo mediante certos termos. No desenrolar da história, vemos Deus estabelecendo um povo por meio de alianças. Essas alianças têm papel predominante no modo de Deus se relacionar com seu povo. Com Noé, a aliança dizia respeito a salvar um povo para si mesmo. No meio de todas as pessoas que experimentariam seu julgamento justo, Deus fez uma aliança com Noé. Por sua graça, Deus convocou um povo e prometeu preservar sua criação.

O plano continuará a se desdobrar conforme prosseguirmos na história bíblica, mas Gênesis 1—11 prepara o terreno e nos orienta quanto ao que vem a seguir.

Questões práticas e desafiadoras

1. Leia Gênesis 3. Com base nos três primeiros capítulos de Gênesis, o que havia de tão importante no fato de Adão e Eva comerem da árvore do conhecimento do bem e do mal?
2. Analise o pecado em sua vida à luz da rebeldia de Adão e Eva em Gênesis 3. Você vê em suas ações a mesma tendência para a independência e a rebelião? Como isso acontece?
3. Relembre o mundo de Gênesis 2. Passe alguns minutos imaginando como nosso mundo seria se não houvesse pecado, se tudo tivesse permanecido como pretendido por Deus. Faça algumas anotações.
4. Agora considere de que maneiras o pecado afetou nosso mundo. Em que sentido nossa experiência do mundo foi moldada pela queda? Seja específico e descreva como isso afeta você hoje.
5. Reflita sobre a atual condição do mundo. Em quais aspectos a humanidade ainda vive na rebeldia que levou ao dilúvio e à torre de Babel?
6. De que forma você está envolvido nessa rebeldia?
7. Ao relembrar Gênesis 1—3 (e mesmo os acontecimentos dos capítulos 4—11 que discutimos aqui), descreva brevemente como esses capítulos firmam as bases para o que está adiante na história bíblica.

Assista ao vídeo.

12

A aliança de Deus com Abraão

Apesar de ainda estarmos no início da história bíblica, já se pode observar um padrão: as pessoas pecam, enfrentam as consequências, e Deus redime. As pessoas pecam, enfrentam as consequências, e Deus redime.

Como visto na lição anterior, quando Adão e Eva pecaram, Deus amaldiçoou a terra e depois disse a Eva que seu descendente esmagaria a cabeça da serpente (Gn 3.15) — a promessa de que Jesus um dia destruirá Satanás e suas obras (Rm 16.20). Alguns poucos capítulos à frente, vemos o pecado constante do homem, a ponto de Deus inundar a terra e destruir toda a raça humana, com exceção de oito pessoas. Mas logo que as águas se acalmaram, Deus fez uma aliança com Noé, prometendo: "Nunca mais amaldiçoarei a terra por causa do homem, pois o seu coração é inteiramente inclinado para o mal desde a infância. E nunca mais destruirei todos os seres vivos como fiz desta vez" (Gn 8.21). As pessoas pecam, enfrentam as consequências, e Deus redime.

Mais uma vez, em Gênesis 11, a raça humana se reuniu em Babel a fim de "fazer seu nome famoso na terra", num evidente desafio a Deus. A resposta de Deus foi confundir a língua da humanidade e dividi-la. Mas justamente quando pensamos que não haveria esperança para a humanidade, Deus inicia um plano de redenção em âmbito global: criar para si um povo que incorpore e propague sua salvação a todas as pessoas do planeta. Depois de amaldiçoar e dispersar a humanidade, Deus fez uma promessa de abençoar todas as nações. E tal plano entrou em movimento quando Deus chamou um homem que vivia no meio de uma nação idólatra para sair do meio de tudo que ele conhecia. E Deus prometeu mudar o curso da história por meio desse homem e de sua descendência.

A promessa divina de redenção

O plano de Deus para resgatar o mundo do pecado começou bem sutilmente. Deus escolheu um homem, Abraão, e disse:

> Saia da sua terra, do meio dos seus parentes e da casa de seu pai, e vá para a terra que eu lhe mostrarei. Farei de você um grande povo, e o abençoarei. Tornarei famoso o seu nome, e você será uma bênção. Abençoarei os que o abençoarem e amaldiçoarei os que o amaldiçoarem; e por meio de você todos os povos da terra serão abençoados.
>
> Gênesis 12.1-3

Pode não parecer, mas com essas palavras Deus deu início a um plano que levaria Paulo a clamar maravilhado: "Ó profundidade da riqueza da *sabedoria e do conhecimento de Deus!*" (Rm 11.33). Esse plano chegaria a seu ápice na encarnação, morte e ressurreição de Jesus — acontecimentos que ocorreram na "plenitude do tempo" (Gl 4.4). Em outras palavras, a história humana estava trabalhando para esse momento, o ponto central no plano divino de consertar o que deu errado com a queda.

Tão logo o pecado entrou no mundo, Deus começou a revelar seu plano de reverter os efeitos da queda. Ele nos restauraria e ao mundo à nossa volta ao que ele originalmente criou — e mais. Deus fez uma promessa a Adão e Eva, e depois a Noé, e aqui ele faz uma aliança com Abraão. Em alguns pontos centrais na vida de Abraão (Gn 12.1-9; 15.1-21; 17.1-14), Deus falou com ele e revelou mais de seu plano. Mas o básico está claro desde o início: Deus prometeu fazer de Abraão uma grande nação, tornar seu nome famoso e abençoá-lo para que ele fosse uma bênção para "todos os povos da terra".

A aliança confirmada

A terra era parte importante da promessa de Deus a Abraão. O chamado divino inicial implicava que Abraão saísse de sua terra e fosse para a terra que Deus lhe mostraria (12.1), uma terra que Deus prometeu dar a Abraão e à sua descendência (12.7; 15.7,18-20). Deus estabeleceria seu povo na terra de Canaã, a "terra prometida", que pertenceria a Abraão e a seus descendentes. Em muitos aspectos, o restante do Antigo Testamento (e boa parte da história subsequente) gira em torno dessa terra.

Quando Deus lhe prometeu dar a terra, Abraão perguntou: "Como posso saber que tomarei posse dela?". A resposta de confirmação aconteceu quando Deus caminhou entre as carcaças de animais sacrificados (Gn 15.9-17). Na época de Abraão, era assim que se faziam os acordos de aliança: as partes envolvidas caminhavam entre animais sacrificados. Fazendo isso, cada pessoa estava basicamente dizendo: "Se eu quebrar minha palavra nesta aliança, que eu seja amaldiçoado como este animal morto".

No caso de sua aliança com Abraão, Deus fez Abraão dormir e depois desceu na imagem de um fogareiro esfumaçante e uma tocha acesa e passou por entre os pedaços dos animais sacrificados por ele mesmo. Esse é um retrato do compromisso de Deus para com seu povo. Por um lado, é incrível pensar que Deus desceu e fez um acordo com um mero humano. Mas também é maravilhoso pensar que, enquanto caminhava no meio das carcaças dos animais, Deus pôs Abraão para dormir. Ele parecia mostrar que estava comprometido a manter sua aliança, quer Abraão e seus descendentes fossem fiéis em mantê-la quer não. Os teólogos chamam isso de aliança unilateral. Deus fez essa promessa de abençoar Abraão e usá-lo para abençoar o mundo. Foi decisão de Deus, e ele manterá a aliança, não importa o que aconteça.

Criando um povo para si

Talvez esperássemos que Deus resgatasse o mundo por meio de algum acontecimento estrondoso e dramático. No entanto, tudo começou de forma bem sutil. Deus deu início ao seu plano com uma promessa. Mas não uma promessa qualquer. É uma promessa com enormes implicações. O plano total de redenção que se desdobra no restante da Bíblia consiste em Deus cumprindo suas promessas a Abraão. De fato, toda a história do mundo está relacionada a tais promessas. Deus faria uma grande nação a partir de Abraão e de sua esposa, Sara, e por intermédio dessa nação ele reformaria a criação e transformaria as demais nações.

A aliança de Deus com Abraão assinalou a introdução do que viria a ser o povo de Israel, o povo da aliança de Deus no Antigo Testamento. Em Gênesis 17.7-8, Deus começou a usar uma linguagem que se repete por todo o Antigo Testamento, na frase: "Eu serei o seu Deus, e vocês serão o meu povo". Primeiramente, não perca o cerne dessa promessa. Deus estava oferecendo a maior bênção que poderia dar a alguém: ele próprio. Ele prometeu ser o Deus daquele povo! Nós muitas vezes esquecemos que honra é Deus oferecer-se em relacionamento. Ficamos tão acostumados com pessoas nos suplicando para seguir Deus que esquecemos o milagre que é sermos convidados a fazê-lo. Nessa aliança com Abraão, Deus fez a tremenda oferta de ser o Deus dele e o Deus de sua descendência. Aqui Deus estava criando um povo para si. Num sentido especial, Deus pertenceria a seu povo, e seu povo pertenceria a ele.

Quando estudamos a criação, notamos que, por sermos criados à imagem de Deus, temos a responsabilidade de refletir Deus ao mundo à nossa volta. Na época de Abraão, a humanidade, no geral, havia falhado nisso. Todavia, por meio de Abraão e seus descendentes, Deus estava formando um povo que incorporaria sua intenção para com a humanidade. Esse povo viveria numa relação íntima com Deus e o refletiria para o mundo ao redor. Com sua promessa de fazer uma grande nação para Abraão e através dele abençoar todas as nações, Deus estava mais uma vez comissionando os homens a viverem como seus representantes na terra.

O evangelho segundo Abraão

É difícil mensurar a importância da aliança de Deus com Abraão. Deus estava definindo como seria seu relacionamento com a humanidade decaída e anunciando seu plano para abençoar o mundo. O que vemos na promessa de Deus a Abraão não é nada menos que o próprio evangelho. Paulo disse:

> Estejam certos, portanto, de que os que são da fé, estes é que são filhos de Abraão. Prevendo a Escritura que Deus justificaria os gentios pela fé, *anunciou primeiro as boas novas a Abraão*: "Por meio de você todas as nações serão abençoadas". Assim, os que são da fé são abençoados junto com Abraão, homem de fé.
>
> Gálatas 3.7-9

Paulo estava dizendo que estas simples palavras ditas a Abraão, "por meio de você todas as nações serão abençoadas", mostram Deus pregando o evangelho. Embora não soubesse o que exatamente essa bênção implicaria para todas as nações, Abraão acreditou na palavra de Deus (pelo menos nesse momento de sua vida) e confiou no que Deus faria.

Desde o início, Deus chamou os descendentes de Abraão, o povo de Israel, para serem uma bênção às nações. Mas, como veremos durante o estudo do restante do Antigo Testamento, eles nunca realmente ascenderam ao nível dessa tarefa. Com efeito, as nações não foram plenamente abençoadas por intermédio de Abraão antes da chegada de Jesus Cristo, o descendente definitivo de Abraão. Jesus identificou a si mesmo como o cumprimento da promessa: "Abraão, pai de vocês, regozijou-se porque veria o meu dia; ele o viu e alegrou-se" (Jo 8.56). Com Jesus, nós finalmente vemos todas as nações sendo abençoadas ao serem chamadas para juntar-se ao povo de Deus.

Deus disse a Abraão: "Farei de você um grande povo, e o abençoarei. Tornarei famoso o seu nome, e você será uma bênção" (Gn 12.2). Perceba bem este princípio: as bênçãos de Deus devem ser partilhadas, e não herdadas. Ao abençoar Abraão, Deus estava intencionalmente buscando abençoar o mundo. Isso é bem diferente da maneira como a maioria dos cristãos enxerga suas bênçãos. Temos a tendência de pensar que Deus nos abençoa para que possamos ser felizes, confortáveis, seguros etc. Vivemos como se nossas bênçãos fossem reservadas a nós somente. Mas as bênçãos de Deus para Abraão nos mostram os planos divinos de nos abençoar. Quando recebemos as bênçãos de Deus, devemos imediatamente olhar ao redor para ver quem podemos abençoar.

A fé de Abraão

O Novo Testamento confere grande importância à fé de Abraão. E com razão. Em Gênesis 15, Abraão se pôs diante de Deus e expressou sua confusão acerca da promessa divina de torná-lo uma grande nação. Disse ele: "Tu fizeste estas promessas [cf. Gn 12], mas eu não tenho descendente nenhum. Tenho apenas um servo em minha casa para ser meu herdeiro". Deus respondeu levando Abraão para fora e dizendo-lhe que olhasse para o céu e contasse as estrelas, caso fosse capaz de enumerá-las. E então disse: "Assim será a sua descendência".

E o que Abraão respondeu? Nada. Gênesis 15 não registra nem uma palavra sequer de Abraão como resposta. Parece que ele ficou sem palavras. Mas a Bíblia nos diz algo importante sobre a reação de Abraão: ele creu em Deus. Deus fez uma promessa gigantesca que parecia impossível, e Abraão simplesmente confiou nele. Acreditou que aconteceria exatamente como Deus disse. E então Gênesis 15 acrescenta um comentário bastante significativo: "Abraão creu no SENHOR, e isso lhe foi creditado como justiça" (v. 6). Sua crença na promessa de Deus lhe foi "creditada" como justiça. Foi declarado que Abraão estava num relacionamento justo com Deus por causa de sua fé.

Romanos 4 acrescenta um comentário incrível sobre esta declaração e faz sua aplicação àqueles que seguem Jesus hoje:

> As palavras "lhe foi creditado" não foram escritas apenas para ele, mas também para nós, a quem Deus creditará justiça, a nós, que cremos naquele que ressuscitou dos mortos a Jesus, nosso Senhor. Ele foi entregue à morte por nossos pecados e ressuscitado para nossa justificação.
>
> Romanos 4.23-25

Paulo estava dizendo que Gênesis 15.6 foi escrito por nossa causa, para que crêssemos no Jesus que morreu para pagar por nossos pecados e no Deus que o ressuscitou dos mortos. Abraão viveu cerca de quatro mil anos antes de Jesus vir à terra, mas foi declarado justo porque creu no que Deus disse sobre o que faria por intermédio do descendente de Abraão, Jesus Cristo. Nós vivemos cerca de dois mil anos após a vinda de Jesus à terra, mas somos declarados justos quando cremos no que Deus diz a respeito do que ele fez mediante o descendente de Abraão, Jesus Cristo.

Por intermédio de Abraão, Deus deu início ao seu plano de redimir o mundo por meio da criação de um povo para si. E no final ele enviaria seu Filho Jesus Cristo, descendente de Abraão, para consertar o mundo. Discutiremos muito mais sobre Jesus nas lições futuras, mas, por enquanto, é importante ver o plano se desenvolvendo em Abraão.

Questões práticas e desafiadoras

1. Reserve algum tempo para ler e meditar em Gênesis 12.1-9; 15.1-21 e 17.1-14. O que chama sua atenção na leitura das promessas que Deus fez a Abraão?
2. O que a aliança de Deus com Abraão nos revela acerca de Deus?
3. O que a aliança de Deus com Abraão revela acerca do plano divino de redenção?
4. Considere o padrão bíblico: As pessoas pecam, enfrentam as consequências, e Deus redime. De que modo você tem visto esse padrão ocorrer em sua vida?

5. Em Gênesis 15, Deus deixou claro que suas promessas não dependiam de Abraão. De que modo isso impacta nossa maneira de pensar sobre o plano divino de redenção?
6. Com suas palavras, explique a importância de Deus ter criado um povo para si. O que Deus queria realizar por intermédio dessa "grande nação" que ele prometeu formar?
7. Considere as intenções de Deus de abençoar "todas as nações" mediante sua promessa a Abraão. Quais são as implicações para nossa maneira de enxergar o mundo hoje?
8. Reflita nas maneiras como Deus tem abençoado você. De que modo essas bênçãos devem ser usadas para beneficiar as pessoas ao seu redor?
9. Leia Romanos 4. Em sua opinião, por que o Novo Testamento dá tanta importância à fé de Abraão?
10. De que modo a fé de Abraão influencia a maneira como você pensa sobre Deus e se relaciona com ele?
11. Passe algum tempo em oração. Peça a Deus que aumente sua fé nele. Peça-lhe que torne você consciente de seu plano de redenção e do papel que ele deseja que você desempenhe nele.

Assista ao vídeo.

13

O êxodo e a redenção

Quando viramos as últimas páginas de Gênesis, vemos Deus trabalhando para o cumprimento de suas promessas a Abraão. O crescimento do povo de Deus havia sido expressivo, o que se ajustava perfeitamente à promessa de que os descendentes de Abraão seriam "numerosos como as estrelas do céu". Mas logo que começamos a ler o livro de Êxodo, algo parece ter dado errado. Êxodo começa com um problema significativo: o povo de Deus está escravizado numa terra estrangeira.

O cativeiro de Israel

Entenda que os dois primeiros capítulos de Êxodo abrangem quatrocentos anos. É possível que passemos pelas breves descrições dos israelitas[1] fazendo tijolos para a construção de cidades do faraó e ignoremos o fato de que isso vinha acontecendo há muito tempo! Esses curtos relatos resumem uma quantidade enorme de sofrimento. Compreensivelmente, a essa altura os israelitas parecem ter desistido de esperar— afinal, estavam forçados a seguir no labor extenuante dia após dia, geração após geração, sem nenhum fim à vista.

Isso levanta uma importante pergunta: estava Deus realmente mantendo suas promessas a Abraão se os descendentes deste eram escravos no Egito? A resposta é "sim". Na verdade, Deus disse especificamente a Abraão que isso iria acontecer:

> Então o Senhor lhe disse: "Saiba que os seus descendentes serão estrangeiros numa terra que não lhes pertencerá, onde também serão

escravizados e oprimidos por quatrocentos anos. Mas eu castigarei a nação a quem servirão como escravos e, depois de tudo, sairão com muitos bens".

Gênesis 15.13-14

As promessas de Deus a Abraão estavam no caminho certo, e, quando o livro de Êxodo se abre, está sendo preparado o cenário para o maior ato de redenção que o mundo havia visto até então. Ali nós encontramos o povo de Deus numa situação impossível, sem nenhuma esperança de alívio. Se Deus pretende manter suas promessas a Abraão, então ele terá de realizar algo espetacular. Como se descobrirá, a manifestação do poder divino no êxodo de Israel será frequentemente mencionada no restante da Bíblia como evidência clara do compromisso de Deus para com seu povo, bem como de seu poder de redimir.

O encontro de Moisés com o Eu Sou

Somando-se à agonia da escravidão, o faraó ordenou que todos os bebês hebreus do sexo masculino fossem afogados no rio Nilo. É nesse momento de aparente desespero que nós conhecemos Moisés. Pela astúcia de sua mãe e pela provisão de Deus, Moisés sobreviveu a essa matança. Naquele instante vulnerável no início de sua vida, ninguém poderia prever quão grandemente Deus usaria Moisés.

Depois que a mãe de Moisés o salvou ao colocá-lo num cesto para flutuar pelo rio Nilo, a filha do faraó o encontrou, criou e educou. Embora tenha sido instruído na casa do faraó, Moisés parecia entender profundamente sua conexão com a nação de Israel. De fato, foi uma primeira tentativa de lutar por seu povo — matando um egípcio — que fez Moisés fugir para o deserto.

Durante esse período de exílio, Deus estava planejando resgatar seu povo da escravidão:

Muito tempo depois, morreu o rei do Egito. Os israelitas gemiam e clamavam debaixo da escravidão; e o seu clamor subiu até Deus.

> Ouviu Deus o lamento deles e lembrou-se da aliança que fizera com Abraão, Isaque e Jacó. Deus olhou para os israelitas e viu a situação deles.
>
> Êxodo 2.23-25

É importante reconhecer que o que Deus estava prestes a fazer aqui tem relação direta com sua aliança com Abraão. Ainda que parecesse não haver esperança, Deus "olhou" para os israelitas e "viu" a situação deles.

Assim como fez com Abraão, Deus escolheu usar um homem para começar a etapa seguinte da história da redenção: Moisés. Enquanto cuidava das ovelhas de seu sogro no deserto, Moisés teve um encontro inesquecível com Deus — um acontecimento que mudou sua vida e impactou nossa compreensão de quem é Deus.

Quando Moisés viu a sarça ardente, aproximou-se para observar o que estava acontecendo. Ao chegar perto, ouviu a voz de Deus lhe dizendo que tirasse as sandálias porque ele estava pisando em terra santa. Quando Deus revelou seu plano de usá-lo para libertar Israel, Moisés lhe fez duas perguntas.

A primeira pergunta foi: "Quem sou eu?". *Quem sou eu, Deus, para tu me enviares, um pastor gaguejante, a fim de desafiar um rei poderoso e liderar teu povo?* A segunda pergunta foi: "Quem és tu?". *Quando as pessoas perguntarem quem me enviou, que devo lhes dizer?*

Embora Moisés estivesse recuando daquilo que Deus o estava chamando a fazer, essas são duas excelentes perguntas. São os questionamentos mais fundamentais que poderíamos fazer, porque tudo em nossa vida — não só aqui e agora, mas para toda a eternidade — se baseia numa resposta correta a tais perguntas: *Quem eu sou?* e *Quem é Deus?*

Deus respondeu à primeira pergunta de Moisés apontando para si mesmo. Moisés perguntou: "Quem sou eu?", e Deus simplesmente respondeu: "Eu estarei com você". A resposta de Deus aqui deveria ser imprescindível para nossa maneira de enxergar a nós mesmos. Desde o início, o povo de Deus é conhecido como aqueles com quem Deus está. Nós pertencemos a ele, e não há como nos definirmos sem ele. É a presença dele que nos capacita a realizar a tarefa que ele nos dá.

Em resposta à segunda pergunta de Moisés ("Quem és tu?"), Deus disse de forma bem simples: "EU SOU O QUE SOU". Essa não é uma resposta desdenhosa. É muito significativa, e há muito a aprender acerca dela. Deus estava explicando que não pode definir a si mesmo apontando alguém ou algo. O nome EU SOU fala de sua eternidade. Enquanto um nome apropriado para nos descrever seria "Eu me torno" ou "Eu fui trazido à existência", o de Deus é "EU SOU" porque ele sempre existiu. Ele é quem é, e é isso que sempre será. Essa é uma declaração de ser absoluto, poder absoluto, importância absoluta. Deus é quem ele é, e nunca muda.

Quando examinamos o relato da criação, olhamos brevemente para o nome pessoal de Deus em Gênesis 2. O nome é "Yahweh" (traduzido na maioria das Bíblias como "o SENHOR", com letras maiúsculas), que vem dessa declaração a Moisés. "Yahweh" carrega o significado da declaração de Deus a Moisés: EU SOU O QUE SOU. O nome "Yahweh" aparece mais de seis mil vezes no Antigo Testamento — três vezes mais que o nome simples para Deus, "Elohim" (o título divino visto em Gênesis 1). A implicação desse uso frequente do nome pessoal de Deus é que o Senhor visa ser conhecido nas Escrituras não apenas como uma divindade genérica, mas como uma pessoa específica, com um caráter totalmente singular e um relacionamento especial com seu povo.

É impossível transmitir com exatidão como deve ter sido esse encontro para Moisés. Ele se afastou de suas ovelhas porque viu algo impressionante — uma sarça ardia em chamas sem ser consumida —, mas não tinha ideia alguma de que estava andando na direção da presença do Deus vivo. De imediato Deus ordenou que Moisés tirasse suas sandálias, pois ele estava pisando em terra santa. Tão logo viu o que estava realmente acontecendo, Moisés escondeu sua face. A santidade de Deus era maior do que ele poderia suportar. Tudo que podia fazer era escutar e obedecer.

Deixe o meu povo ir

Deus, então, enviou Moisés de volta ao Egito para tirar seu povo da escravidão e levá-lo à terra que havia prometido dar aos descendentes de Abraão. Quando Moisés chegou, deu ao faraó uma ordem simples vinda de Deus: "Deixe o meu povo ir!".

O faraó não somente recusou deixar o povo de Israel sair, como também intensificou o trabalho dos israelitas a ponto de estes ficarem com raiva de Moisés por ter provocado o faraó. Até o próprio Moisés pareceu perder o ânimo a essa altura. Mas Deus continuou a executar seu plano de redenção, mostrando sua determinação em manter sua aliança com Abraão e libertar seu povo da escravidão.

Entenda que essa batalha é nada menos que um confronto entre Yahweh, o Deus de Israel, e o faraó, o suposto filho do deus-sol, Rá. Os egípcios acreditavam fervorosamente que seu rei era um deus e, como tal, era responsável por manter a ordem no mundo natural. Quando usou Moisés para liberar as dez pragas, Deus estava demonstrando seu poder absoluto sobre tudo que o deus-rei egípcio alegava ter controle. Ao que parece, muitas das pragas se dirigiam contra divindades egípcias específicas (por exemplo, a praga das trevas teria sido um constrangimento para Rá, o deus-sol), mas todas elas foram minando a proclamação de divindade do faraó.

Assim como vimos nos relatos da criação, do dilúvio e da torre de Babel, estamos vendo que Deus controla cada aspecto do mundo que ele criou, e ele não dividirá sua autoridade com ninguém. Ele luta por sua glória e prova que tem o poder definitivo e é o único Deus verdadeiro.

O cordeiro da Páscoa

Mesmo Deus tendo demonstrado claramente seu poder sobre o faraó e todos os deuses do Egito por meio das nove primeiras pragas, foi a décima praga que finalmente obteve a atenção do rei egípcio. Deus advertiu que, a menos que o faraó libertasse seu povo, todo primogênito na terra do Egito seria morto. Tragicamente, o faraó recusou, e as consequências foram devastadoras:

> Então, à meia-noite, o Senhor matou todos os primogênitos do Egito, desde o filho mais velho do faraó, herdeiro do trono, até o filho mais velho do prisioneiro que estava no calabouço, e também todas as primeiras crias do gado. No meio da noite o faraó, todos os seus conselheiros e todos os egípcios se levantaram. E houve grande pranto no Egito, pois não havia casa que não tivesse um morto.
>
> Êxodo 12.29-30

É difícil visualizar uma cena dessa. É algo mórbido e duro de digerir, mas nos ensina uma importante lição sobre Deus. Assim como ele é fiel para manter suas promessas de abençoar, também é fiel para cumprir suas advertências de ira. É importante ter isso em mente num momento em que tantos duvidam da intenção divina de punir e até a ridicularizam.

Perceba que antes de chegar a esse ponto Deus havia bondosamente oferecido aos egípcios uma alternativa: o faraó poderia ter se submetido ao chamado divino, e sua nação seria preservada. Deus também concedeu uma alternativa para seu povo. Todo israelita que pusesse o sangue de um cordeiro no batente de sua casa seria "passado adiante" — o anjo da morte iria para a casa seguinte.

Imagine como deve ter sido para os israelitas. Imagine pegar um pobre cordeiro de sua casa, um cordeiro que você e seus filhos alimentaram e do qual cuidaram. E então, justamente quando seus filhos estão acostumados com esse amável cordeirinho, você o abate. Depois, pega o sangue dele e, enquanto seus filhos assistem, você o passa em todo o batente de sua casa. É uma imagem impressionante para uma criança — e para uma família.

E agora imagine seu filhinho ou filhinha perguntando: "Por que o senhor fez isso, papai?". Sua resposta seria: "O cordeiro foi um substituto. Em vez de alguém de nossa família morrer, o cordeiro morreu. Olhe para seu irmão: o cordeiro morreu em lugar dele".

A dura realidade daquela noite reside no fato de que os únicos que estavam isentos do julgamento eram os que puseram sangue em seus batentes, e, ao fazê-lo, confiaram que a morte passaria ao largo delas. Os israelitas não passaram pelo julgamento de Deus porque eram melhores. Eles escaparam do julgamento divino simplesmente porque confiaram no sacrifício providenciado por Deus. E todo mundo — mesmo os escravos — que confiou no sacrifício foi poupado naquela noite.

Vemos essa imagem por toda a Bíblia, e é importante tê-la em mente para a lição seguinte, quando você lerá sobre a aliança de Deus com Moisés e as leis que Deus deu para reger seu povo. Tenha em mente que desde o início a única maneira de receber o perdão era mediante a confiança naquele que perdoa. A única maneira de receber as promessas de Deus é confiando nele. As pessoas foram salvas somente porque confiaram em Deus quando viram o cordeiro sem mácula no batente das portas.

Aquela noite foi a primeira Páscoa, um evento que os judeus celebram uma vez por ano desde então. É cheio de significado o fato de que Jesus, na noite em que foi traído, remodelou a celebração da Páscoa em termos de sua própria morte e ressurreição. Jesus não poderia deixar mais claro que estava entregando sua vida por seus seguidores, como seu cordeiro pascal. Paulo explicita essa conexão no Novo Testamento, ao dizer: "Pois Cristo, nosso Cordeiro pascal, foi sacrificado" (1Co 5.7).

No meio do mar Vermelho

Embora a morte de todos os primogênitos no Egito tenha convencido o faraó a libertar os israelitas, ele logo mudou de ideia e foi atrás deles. Isso serviu de cenário para um dos acontecimentos mais memoráveis na história da salvação. Enquanto o povo de Israel estava à frente do mar Vermelho, o exército do faraó se aproximava rapidamente. Parecia certo que o êxodo da escravidão havia acabado logo depois de começar.

Mas nada é difícil demais para Deus; nada pode impedi-lo de cumprir suas promessas. Ele provou isso ao dividir as águas do mar Vermelho, permitindo que seu povo atravessasse em terra seca e depois destruindo o faraó e seu exército quando as águas se fecharam em torno deles. Ao redimir seu povo tirando-o da escravidão, Deus demonstrou dramaticamente que o Deus de Israel é diferente de qualquer outro pretenso deus.

Separe um minuto para analisar o relato do êxodo. Embora Deus às vezes faça declarações diretas sobre quem ele é e como devemos nos relacionar com ele, muitas vezes ele se revela a nós através de suas ações. Reflita no que Deus fez ao chamar seu povo do Egito e responda às perguntas da seção abaixo.

Um povo esquecido

Antes de encerrarmos este capítulo, pode ser útil tomar nota da reação de longo prazo de Israel à incrível libertação divina. O que eles fizeram, vez após vez, em resposta à graça redentora de Deus? Eles se esqueceram! Reclamaram! Sentiram saudade dos dias em que viviam no Egito!

Quando lemos esses relatos, parece inacreditável. Como pode esse povo que tinha visto a mão de Deus agir tão claramente parar de confiar nele e começar a reclamar de suas circunstâncias?

Porém, antes de nos tornarmos demasiadamente críticos dos israelitas, olhemos para nossa vida. Talvez não tenhamos sido salvos de um exército em marcha depois de atravessar o mar em terra seca, mas esses acontecimentos são parte de nossa herança. Não só isso, mas nós vimos Deus nos aparecer de formas incrivelmente poderosas e pessoais. Não importa em que tentemos acreditar durante nossos momentos mais sombrios, todos nós já vimos a mão de Deus agir de forma inegável em nossa vida. Mas nós esquecemos. Nós reclamamos.

Reserve algum tempo para aprender com o exemplo de Israel e concentrar-se em lembrar da provisão de Deus nas circunstâncias mais difíceis da vida.

Questões práticas e desafiadoras

1. Leia Êxodo 2.23—3.22 com atenção. Essa passagem registra um dos raros exemplos em que um ser humano tem uma

conversa audível com o Deus todo-poderoso. Para você, o que se destaca nesse encontro de Moisés com Deus?

2. Leia Êxodo 5.22—6.13. O que essa passagem revela acerca de Deus e de seu relacionamento com seu povo?
3. Como a provisão divina do cordeiro pascal para os israelitas nos ajuda a entender o sacrifício de Jesus por nós?
4. Leia Êxodo 15.1-21. Como os israelitas descreveram o ato divino de redenção imediatamente após Deus tê-los livrado da escravidão?
5. O que as ações divinas no êxodo de Israel nos ensinam a respeito de Deus?
6. A história do êxodo define o modelo de redenção divina. De que modo você tem visto a mão de Deus agindo em sua vida?
7. O que a tendência israelita de esquecer a redenção de Deus e começar a reclamar nos ensina sobre a humanidade?
8. Torne isto mais pessoal. Separe algum tempo para descrever as vezes em que Deus o resgatou. O que você pode fazer para se manter focado em quem Deus é e no que ele tem feito?
9. Passe algum tempo em oração. Peça a Deus que torne a história do êxodo de Israel bem vívida para você. Peça por fé para crer que ele cumprirá suas promessas para você não importa quão impossível a situação pareça. Ore para que Deus o ajude a confiar nele para sua salvação.

Assista ao vídeo.

14

A aliança de Deus com Moisés

Tente se colocar no lugar dos israelitas. Eles rapidamente passaram de escravos de uma das mais poderosas nações da terra a pessoas livres mediante uma série de milagres assustadores. Quando do envio das dez pragas, observaram Deus fazer de tolos os deuses do Egito e seu governante "divino". Marcharam para fora do Egito enquanto seus antigos senhores lhes derramavam presentes de ouro, prata e roupas. Testemunharam o impossível quando Deus os guiou em terra seca por entre um mar partido ao meio. Viram Deus destruir sozinho o exército mais poderoso da região ao fechar aquele mesmo mar.

Imagine Israel do outro lado do mar Vermelho, tendo acabado de testemunhar um dos eventos mais dramáticos da história. Eles haviam acabado de ser chamados e resgatados por um Deus cujo poder era claramente incontestável. Depois que o brilho do êxodo desapareceu, os israelitas tiveram de encarar algumas importantes questões: Quem exatamente é esse Deus que nos resgatou e nos requereu para si? Para onde ele está nos levando e quais são suas intenções para conosco? Como é viver como povo desse Deus?

Na base do monte Sinai

À medida que se afastavam do mar Vermelho para o deserto, os israelitas não sabiam exatamente o que esperar. Os primeiros meses de sua jornada foram cheios de tumulto. O povo reclamou de falta de comida e água. Então, quando Deus milagrosamente providenciou água fresca e pão descido (maná) do céu, reclamou da monotonia de sua alimentação. A certa altura o povo ficou tão irritado que queria Moisés morto. Mas tudo mudou — pelo menos por algum tempo — quando se aproximou do monte Sinai.

Quando Israel chegou à base do monte Sinai, descobriu que Deus havia escolhido aquele lugar para revelar-se ao seu povo e iniciar uma aliança com ele. Moisés subiu a montanha para se encontrar com Deus, que de imediato explicou sua intenção para Israel:

> Logo Moisés subiu o monte para encontrar-se com Deus. E o Senhor o chamou do monte, dizendo: "Diga o seguinte aos descendentes de Jacó e declare aos israelitas: Vocês viram o que fiz ao Egito e como os transportei sobre asas de águias e os trouxe para junto de mim. Agora, se me obedecerem fielmente e guardarem a minha aliança, vocês serão o meu tesouro pessoal dentre todas as nações. Embora toda a terra seja minha, vocês serão para mim um reino de sacerdotes e uma nação santa. Essas são as palavras que você dirá aos israelitas".
>
> Êxodo 19.3-6

Aqui Deus definiu Israel. Em primeiro lugar, os israelitas eram o povo que Deus havia milagrosamente resgatado da escravidão. Seria impossível para o povo de Deus definir a si próprio sem fazer referência ao ato divino de redenção em seu êxodo. Mas isso não era tudo. Deus o havia "trazido para junto de si". Ele era agora seu "tesouro pessoal". O Senhor estava usando esse momento no monte Sinai para identificar a si mesmo a seu povo e lhe falar sobre sua nova identidade. Agora os israelitas podiam descansar na segurança de estar guardados e protegidos por Deus! Foi aqui também que Deus definiu os termos para que seu relacionamento funcionasse.

Antes de iniciar esse processo, contudo, o povo de Israel tinha de preparar-se:

> E o Senhor disse a Moisés: "Vá ao povo e consagre-o hoje e amanhã. Eles deverão lavar as suas vestes e estar prontos no terceiro dia, porque nesse dia o Senhor descerá sobre o monte Sinai, à vista de todo o povo. Estabeleça limites em torno do monte e diga ao povo:

> Tenham o cuidado de não subir ao monte e de não tocar na sua base. Quem tocar no monte certamente será morto".
>
> Êxodo 19.10-12

Os israelitas tinham de "consagrar-se". Basicamente, tinham de se separar para um propósito específico; tinham de se preparar para um encontro com Deus. É isso o que um relacionamento entre um Deus santo e um povo pecaminoso requer. Enquanto Moisés se encontrava com Deus no monte Sinai, a montanha ficou cercada de fumaça, relâmpagos e trovões. As pessoas não tinham sequer permissão de tocar a base da montanha sem serem mortas. Deus estava realizando algo único aqui, e ele demonstrou esse fato de forma dramática.

Um Deus santo e um povo pecaminoso

No Sinai, Deus entrou numa aliança com Moisés e os demais israelitas. Quando Deus fez sua aliança com Abraão, prometeu tornar os descendentes deste uma grande nação, dar-lhes a terra de Canaã e, por fim, abençoar todas as nações da terra por meio dele. A aliança que Deus fez com Moisés baseia-se na aliança feita com Abraão. Enquanto esperavam na base do monte Sinai, os israelitas reconheceram-se como a grande nação que Deus havia prometido a Abraão; eram aqueles que herdariam a terra de Canaã, e, finalmente, sua responsabilidade era abençoar todas as nações. As implicações dessa aliança eram claras: o Senhor seria o Deus de Israel, e Israel seria o seu povo.

Como poderíamos prever, contudo, havia alguns problemas potenciais nessa história de um Deus santo que se vincula a pessoas pecaminosas. Como poderia esse Deus sem pecado manter um relacionamento com pessoas propensas a se rebelar e a fazer coisas que ele odeia? Israel precisaria saber o que Deus esperava dele e como seria viver como povo de Deus.

É aqui que entra a lei do Antigo Testamento. Diferentemente da aliança com Abraão, a aliança com Moisés incluía um extenso código de conduta. Essa lei enunciava as expectativas de Deus para seu povo em termos civis, religiosos e morais. A lei começava com os dez mandamentos, mas a partir dessas dez simples leis seguiam-se mais de uma centena de leis específicas relacionadas a todos os aspectos da vida do povo de Deus. As regras não pretendiam ser totalmente abrangentes; foram feitas para oferecer precedentes judiciários pelos quais os juízes de Israel poderiam tomar decisões sábias sobre quaisquer assuntos que pudessem surgir.

Essas leis eram legalmente obrigatórias para o povo de Israel no Antigo Testamento. Quando lemos o Novo Testamento, porém, Jesus explica que cumpriu a lei do Antigo Testamento (Mt 5.17) e que ela já não nos domina como cristãos (Rm 6.14; Gl 5.18). Isso significa que não devemos apenas ler a lei e aplicá-la diretamente à nossa vida. Ao mesmo tempo, não podemos descartá-la nem considerá-la sem valor. A lei proporciona uma visão sobre o caráter de Deus e sua intenção para com seu povo.

Por exemplo, Deus ordenou que Israel deixasse parte de sua produção nos campos e nas vinhas quando fizesse a colheita (Dt 24.19-22). Por estranho que possa parecer, esse era o jeito divino de fazer provisão "para o estrangeiro, para o órfão e para a viúva". Ao lermos esse mandamento hoje, não precisamos literalmente deixar alguns dos frutos na vinha quando colhemos (afinal, quantos de nós praticam a colheita?). O ponto é que precisamos prover para o pobre. O mandamento nos ensina sobre o caráter de Deus e sobre como ele quer que seu povo atue no mundo.

Outra coisa que aprendemos com a lei é que Deus tem todo o direito de ditar a suas criaturas como elas devem agir. Ele pode dizer às pessoas o que lhes é permitido ou não comer, o que podem ou não tocar etc. Ele determina o que é moralmente correto e tem a liberdade de estabelecer limites para nossa conduta. Essa é uma importante lição, dada a arrogância predominante em nossa cultura.

A manutenção do relacionamento

A lei apresenta algumas difíceis questões teológicas para os cristãos de hoje. Nós sabemos que somos salvos pela graça, e não pelas obras. Em outras palavras, não há como obter acesso a Deus cumprindo regras e fazendo boas ações — somos pecadores demais para ser suficientemente obedientes, e Deus nos salva pela graça mediante a fé. Quando lemos a lei do Antigo Testamento, contudo, parece que Deus está concedendo a lei a Israel para que o povo fosse justificado diante dele pelo cumprimento de regras e por boas ações.

Mas não há nada na lei que diga aos israelitas que eles receberão salvação definitiva se guardarem com perfeição cada aspecto da lei. Tanto é que a lei presume que os israelitas não conseguirão cumpri-la — é por isso que o sistema sacrificial foi incluído (discutiremos mais sobre isso na lição seguinte). A lei de fato promete bênçãos para o obediente e maldições para o desobediente (também discutiremos sobre isso adiante), mas isso não é o mesmo que salvação pelas obras. Mesmo hoje Deus nos abençoa pela obediência, e sofremos consequências quando nos rebelamos contra ele.

Na realidade, a lei nunca pretendeu oferecer aos israelitas uma escada moral onde poderiam subir e, então, obter o favor de Deus, mostrando quão boas pessoas eram. Pelo contrário, a lei tratava da manutenção do relacionamento com Deus. Solucionava o problema acerca de como um Deus santo pode se vincular a um povo pecaminoso. Oferecia aos israelitas um código de conduta tangível que lhes permitiria viver fielmente de acordo com sua identidade de povo de Deus. Ensinava-lhes a relacionar-se com Deus e uns com os outros de maneira apropriada. Nós colocamos demasiada pressão sobre a lei quando tentamos transformá-la num sistema de salvação por meio de boas obras.

Bênção e maldição

Embora a aliança com Moisés fosse uma extensão da aliança de Deus com Abraão, há uma importante diferença entre as duas. Com Abraão, a aliança era incondicional. Em outras palavras, a promessa de Deus a Abraão era independente das ações deste — Deus cumpriria sua promessa, a despeito do que Abraão fizesse ou deixasse de fazer. Com Moisés, porém, Deus acrescentou um elemento condicional. Deus abençoaria Israel, levaria o povo a salvo para a terra prometida, o abençoaria na terra e faria dele uma bênção para as outras nações *caso* fosse fiel na observância da lei de Deus.

Deus sempre manteria sua promessa a Abraão, mas as promessas que fez no monte Sinai para abençoar Israel dependeriam da obediência fiel. Essas bênçãos não dependiam da perfeição imaculada de Israel — lembre-se de que Deus construiu um sistema de sacrifício, expiação e perdão na própria lei —, mas Deus exigia que os israelitas mantivessem fielmente sua parte do pacto. Se o fizessem, seriam abençoados e receberiam as promessas. Do contrário, seriam amaldiçoados e levados para o exílio.

Em Deuteronômio, os israelitas estavam à beira da terra prometida (muitos anos depois de Israel ter estado no monte Sinai) e se preparavam para entrar e tomar posse daquilo que Deus lhes estava dando. Antes de entrarem na terra, porém, Moisés os reuniu e os lembrou dessa aliança. Deuteronômio 28 explica claramente que, se Israel fosse fiel a Deus e mantivesse a aliança, o Senhor o abençoaria de maneiras inimagináveis. Caso se rebelasse e falhasse em manter sua parte na aliança, Deus enviaria uma maldição sobre o povo. É difícil ler a segunda metade de Deuteronômio 28 porque Deus retrata ali um quadro horripilantemente vívido do que aconteceria se Israel escolhesse desobedecer. Como veremos, o restante do Antigo Testamento mostra o fracasso de Israel em permanecer fiel a essa aliança e as consequências que sofre por causa disso.

Um reino de sacerdotes

Apesar de a aliança de Deus com Moisés prometer bênçãos para Israel, há mais em jogo do que o bem-estar de uma única nação. Assim como prometeu abençoar Abraão a fim de que ele fosse uma bênção para "todas as nações da terra", Deus pretendia que sua aliança com Israel fosse também uma bênção para todas as nações.

Em Êxodo 19.5-6, Deus diz aos israelitas que eles devem ser um "reino de sacerdotes" e uma "nação santa". Esses dois títulos são extremamente importantes para a compreensão do chamado de Israel. Um sacerdote possui duas responsabilidades: representar um Deus santo a um povo pecaminoso, e representar um povo pecaminoso a um Deus santo. Como reino de sacerdotes, Israel deveria representar seu Deus às nações ao redor. De forma coletiva, deveria mostrar ao mundo quem era seu Deus e o que ele exigia do mundo. Por outro lado, Deus pretendia que Israel representasse essas nações para ele mesmo. Em outras palavras, os israelitas deveriam orar em favor das pessoas à sua volta, pedindo que Deus as abençoasse. Esses conceitos também estão presentes no título "nação santa". O povo de Israel deveria se destacar, ser claramente diferente das outras nações. Ele estava separado para os propósitos de Deus. Deveria ministrar em favor de Deus, mostrar o caráter santo dele ao mundo e ser uma luz para as nações.

Como nos mostra o restante do Antigo Testamento, Israel foi amplamente infiel a esse mandamento. Isso, contudo, não mudou o coração de Deus. Israel ainda era seu "tesouro pessoal", mas isso não significa que Deus queria que Israel se sentisse superior ao mundo ao redor. Israel era especial porque Deus o escolheu para um propósito específico: mostrar ao mundo que o Senhor é Deus e chamar as pessoas a um relacionamento com ele. O desejo de Deus sempre foi o de restaurar cada parte de sua criação, e ele ainda chama seu povo para juntar-se a ele nessa obra.

Questões práticas e desafiadoras

1. Leia Êxodo 19. Explique o significado da purificação do povo e de seu afastamento da montanha.
2. De que modo o encontro de Israel com Deus no monte Sinai impacta a maneira como você enxerga Deus?

3. Leia Êxodo 20.1-21. O que os dez mandamentos revelam acerca do caráter de Deus?
4. O que os dez mandamentos revelam acerca de como Deus quer que a humanidade viva?
5. Explique a diferença entre guardar a lei a fim de obter o favor de Deus e guardar a lei a fim de manter um relacionamento com Deus.
6. Com suas palavras, explique qual a importância de Deus ter dado a lei a Israel.
7. Leia Deuteronômio 28. De que modo essas promessas de bênção pela obediência e maldição pela desobediência nos ajudam a entender a importância da aliança de Deus com Moisés e Israel?
8. Como "reino de sacerdotes" e "nação santa", qual era a responsabilidade de Israel para com as nações ao seu redor?
9. Nós não somos a nação de Israel, mas Deus usa frases semelhantes para descrever a igreja (1Pe 2.5-9). De que modo a aliança de Deus com Moisés e os israelitas impacta nossa maneira de enxergar a nós mesmos como povo de Deus?
10. Passe algum tempo em oração. Agradeça a Deus por estender a mão a este mundo quebrantado e escolher trabalhar em pessoas quebrantadas e por meio delas para realizar seus propósitos. Peça a ele um coração firmado na obediência e apaixonado por alcançar o mundo ao seu redor.

Assista ao vídeo.

15

Sacrifício e expiação

Esta é a melhor notícia do mundo: Deus convida a humanidade para um relacionamento com ele. No entanto, quando Deus faz alianças com as pessoas, uma séria tensão é criada. Afinal, não é impossível que um Deus santo se relacione com pessoas pecaminosas? Nesse momento da história bíblica surgem algumas importantes questões. Será que Deus precisará abaixar seus padrões? (Será que ele poderia abaixar seus padrões mesmo que quisesse fazê-lo?) O povo de Deus será capaz de viver sem pecado para que possa desfrutar da presença divina?

É óbvio que a resposta a essas perguntas é "não". Deus nunca poderia e jamais abaixaria seus padrões nem diminuiria sua santidade. E, desde a queda, os seres humanos são incapazes de viver sem pecado e desfrutar da presença de Deus com base em sua própria pureza moral. Portanto, se Deus deseja se vincular aos seres humanos, algo tem de ser feito em relação ao pecado que inevitavelmente invade a vida de seu povo.

A solução de Deus para o problema do pecado é o sacrifício.

A maioria dos cristãos de hoje entende que quando Jesus morreu ele estava servindo como sacrifício em nosso lugar. O que muitos não entendem, porém, é o papel central desempenhado pelo sacrifício no Antigo Testamento. Os cristãos de hoje entendem que a morte de Jesus na cruz pagou por nossos pecados e nos permitiu ter um relacionamento com Deus. Mas raramente consideramos que a morte de Jesus foi o ponto culminante de uma história mais ampla de pecado e sacrifício que se desenvolve ao longo de todo o Antigo Testamento. Somente quando entendemos os sacrifícios do Antigo Testamento, podemos ver como o Antigo e o Novo Testamentos se encaixam perfeitamente numa única e maravilhosa história. Não foi mero capricho a decisão de Jesus de que o problema do pecado fosse solucionado pela morte na cruz; o sistema sacrificial do Antigo Testamento exigia um sacrifício pelo pecado, e Jesus ofereceu a si mesmo como sacrifício definitivo em nosso favor.

O sacrifício no desenrolar da história do Antigo Testamento

O sacrifício é visto ao longo de todo o Antigo Testamento. Relembre seu estudo sobre Adão e Eva. Logo depois de comer do fruto proibido por Deus, eles se sentem envergonhados de sua nudez e tentam cobrir-se com folhas. A reação de Deus a esse problema prenunciava a maneira como ele continuaria a lidar com o pecado humano: Deus fez roupas para Adão e Eva com peles de animais. O texto não nos diz muito sobre o significado dessas novas vestes, mas pense a este respeito: de onde vieram aquelas peles de animal? Tomando cuidado para não ler além do texto, podemos fazer uma observação simples: um animal teve de morrer para que a culpa do pecado fosse coberta. Tão logo o pecado entrou no mundo, Deus arranjou um modo de tratá-lo mediante o sacrifício.

O método sacrificial só é plenamente desenvolvido e explicado quando chegamos ao livro de Levítico, mas a história do Antigo Testamento aponta para sacrifícios feitos antes desse momento. Um exemplo da vida de Abraão é particularmente útil para entendermos o funcionamento do sacrifício.

Em Gênesis 22, Deus pede que Abraão sacrifique seu filho Isaque. À primeira vista, esse pedido pode parecer cruel e até mesmo absurdo. Como Deus pediria tal coisa a Abraão? Mas, à medida que a história prossegue (e especialmente a história mais ampla da Bíblia), a beleza do pedido se faz evidente. Tenha em mente que Deus havia prometido transformar os descendentes de Abraão numa grande nação, e Isaque era seu descendente. Imagine a dificuldade pela qual Abraão deve ter passado. Deveria ele obedecer ao Senhor? Não faria mais sentido proteger seu filho a fim de buscar a promessa que Deus lhe fez? Abraão decidiu obedecer ao Senhor, confiando que Deus poderia fazer qualquer coisa, inclusive ressuscitar seu filho dos mortos (Hb 11.9). Abraão chegou ao lugar que Deus designou para o sacrifício, preparou o altar e ergueu a mão para sacrificar seu filho. No último momento, porém, Deus o deteve e providenciou um carneiro para ser imolado em lugar de Isaque.

Por mais incrível que seja a história em si, não devemos ignorar o que ela nos ensina acerca da natureza do sacrifício. Primeiro, o relato sugere que Deus poderia *potencialmente* aceitar um sacrifício humano pelo pecado — mesmo não permitindo que isso acontecesse antes da morte de Jesus. Segundo, mostra-nos que Deus poderia aceitar um substituto — nesse caso, o carneiro foi sacrificado para que Isaque vivesse. Naturalmente, o significado da oferta de Abraão só se torna claro depois de vermos o sacrifício de Jesus no Novo Testamento. Como muitas coisas no Antigo Testamento, a vida, a morte e a ressurreição de Jesus tomam essas crenças e rituais e os exibem da forma mais bela e poderosa que alguém poderia imaginar.

O sacrifício na lei de Moisés

Nós vemos sacrifícios ocasionais ao longo da primeira parte do Antigo Testamento, mas foi só depois que Deus concedeu a lei a Moisés que o sacrifício de animais passou a integrar a vida de Israel. A lei abrangia muitas coisas. Ditava a vida civil e governamental, o comportamento moral e as práticas religiosas e cerimoniais do povo. A lei continha instruções específicas sobre quando sacrificar, o que sacrificar e como sacrificar. Havia uma variedade de sacrifícios ou ofertas queimadas, e cada tipo de oferta servia a uma função diferente. Em geral, porém, os sacrifícios eram realizados para mostrar gratidão a Deus, demonstrar um coração contrito diante dele e expiar o pecado.

Essa palavra, *expiar*, ou *expiação*, possui grande valor teológico. Basicamente, a expiação consiste em reconciliar, reparar o que deu errado e restabelecer a paz onde antes havia conflito. A expiação permitia que pessoas distantes de Deus pelo pecado desfrutassem novamente da "união" com ele. Assim, além de proporcionar caminhos para a expressão de amor e gratidão a Deus, a lei de Moisés oferecia aos israelitas instruções específicas para fazer expiação pelo pecado. O sacrifício de animais concedeu aos israelitas uma forma tangível de mostrar sua tristeza e desejo de ter seu relacionamento com Deus restaurado. O sacrifício também providenciava um substituto que podia ser oferecido em lugar de Israel.

Um entendimento adequado do sacrifício e da expiação é muito útil para nós que tendemos a fazer boas obras na esperança de compensar os erros que cometemos. Assim como os israelitas encontravam expiação mediante sacrifícios, devemos aprender a depositar toda a nossa esperança num sacrifício. O Novo Testamento explica claramente que o sacrifício em que devemos confiar foi realizado por Jesus.

Um lembrete vívido do pecado

Uma das características mais marcantes da lei do Antigo Testamento é o sangue. Parece haver sangue espalhado por toda parte de Levítico! Isso acontece porque o sangue era necessário para um sacrifício eficaz: "Pois a vida da carne está no sangue, e eu o dei a vocês para fazerem propiciação por si mesmos no altar; é o sangue que faz propiciação pela vida" (Lv 17.11).

Tente imaginar a si mesmo no Israel da Antiguidade. Como qualquer grupo de pessoas na face da terra, sua comunidade é propensa ao pecado. Mas, com regularidade, você é requisitado a trazer os sacrifícios adequados a fim de fazer expiação por seu pecado e restaurar a paz com Deus. Toda vez que um sacrifício fosse oferecido (algo frequente), um animal morreria, seu sangue fluiria e seria derramado pelo altar. Imagine estar ali, assistindo a tudo. Seria estranho, sangrento e malcheiroso. Toda vez que presenciasse isso, você seria lembrado da gravidade do pecado e de suas terríveis consequências. Você assistiria a uma representação vívida do que seu pecado exige e ficaria grato de que o cordeiro, a cabra ou o boi tivesse morrido em seu lugar.

Hoje, mesmo não sendo necessário fazer sacrifício de animais pelo pecado, essa prática do Antigo Testamento ainda nos oferece um retrato vívido da gravidade da desobediência.

O Dia da Expiação

Já levantamos a questão: "Como humanos pecaminosos podem viver próximos de um Deus santo?". A resposta é encontrada no sistema sacrificial, mas há certo evento em Levítico que vai direto à raiz da questão: *Yom Kippur*, o Dia da Expiação (um evento que os judeus comemoram ainda hoje). Todos os anos os israelitas celebrariam o Dia da Expiação, e Deus faria expiação pelo pecado do povo e o habilitaria a viver com ele.

Conforme lemos Levítico 16, fica claro que Deus leva a adoração muito a sério. O capítulo começa quando Deus dá a Arão (irmão de Moisés e o primeiro sumo sacerdote) instruções bastante específicas sobre como entrar em sua presença. O restante do capítulo descreve o que deveria acontecer no Dia da Expiação. Nesse dia específico de cada ano, um homem dentre os israelitas (o sumo sacerdote) recebia autorização para entrar no Lugar Santíssimo e ficar diante de Deus em nome do povo.

O sumo sacerdote deveria levar consigo o sangue de um animal sem defeito. Na verdade, três animais eram envolvidos nessa cerimônia. Primeiro, o sumo sacerdote deveria sacrificar um boi como oferta para expiar seu próprio pecado, uma vez que não poderia entrar na presença de Deus por livre vontade — ninguém, nem mesmo o sumo sacerdote, é santo ou perfeito. Depois, ofereceria dois bodes. O primeiro bode seria sacrificado, e seu sangue seria aspergido sobre a tampa da arca da aliança, assim como havia acontecido com o sangue do boi. Imagine o significado disso. No interior do Lugar Santíssimo, a presença de Deus mirava a arca da aliança, que continha uma cópia da lei que Israel havia quebrado com seu pecado. Em seguida, a tampa (também referida como "propiciatório") dessa arca era manchada com sangue sacrificial. Esse sangue satisfazia a ira de Deus porque um substituto fora oferecido no lugar do povo que merecia sua ira. Assim, em vez de ver a lei que foi quebrada, Deus olhava para baixo e via o sangue da expiação. Basicamente, esse sacrifício substituía a morte de toda a comunidade do povo de Deus.

Tente imaginar a intensidade dessa cena. Imagine ficar do lado de fora do Lugar Santíssimo esperando enquanto o sumo sacerdote entra para fazer sua oferta em favor do povo. Ali estava um homem pecaminoso entrando na própria presença do Deus todo-poderoso! Imagine a alegria que você sentiria quando o sumo sacerdote saísse a salvo da presença de Deus, sinal de que o sacrifício fora aceito e seus pecados foram expiados.

O sacerdote, então, pegava o segundo bode (o primeiro havia sido sacrificado), colocava simbolicamente suas mãos sobre a cabeça do animal para representar a transferência dos pecados do povo para ele, e depois soltava o bode, que "levará consigo todas as iniquidades deles para um lugar solitário" (v. 22). Essa era outra poderosa imagem do que estava acontecendo com os pecados do povo de Deus. O pecado deles estava sendo removido, carregado para um local remoto, e nunca os visitaria novamente. A culpa e a condenação haviam partido.

Tenha em mente que, por mais maravilhosa que fosse a alegria pela purificação do pecado, esse sentimento inevitavelmente se dissipava. A cerimônia deveria ser repetida todos os anos porque Israel não pararia de pecar. E o Dia da Expiação era complementado por um sistema sacrificial contínuo e detalhado, uma vez que o pecado de Israel era constante. O pecado não é um problema externo; ocorre no âmago de cada um de nós e se manifesta continuamente de diversas maneiras. Lidar com o pecado era, portanto, uma parte importante e habitual da vida diária dos israelitas.

O problema com o sacrifício de animais

A necessidade de repetição constante desses sacrifícios aponta para a limitação inerente ao sistema sacrificial do Antigo Testamento. Não era esse, porém, o único problema. A efetividade desses sacrifícios em momento algum se baseou na mera execução de um ritual. Desde o início, tratava-se do coração do adorador, e não do valor de sua oferta. Deus disse explicitamente por meio do profeta Oseias: "Pois desejo misericórdia, e não sacrifícios; conhecimento de Deus em vez de holocaustos" (6.6).

Provavelmente a imagem mais espantosa das deficiências do sacrifício animal esteja em Malaquias. Nesse breve livro, Deus falou de modo vigoroso com seu povo sobre a inutilidade dos sacrifícios que faziam. Eles mantiveram as formas exteriores e rituais do sistema sacrificial, mas o coração deles não estava ali. Em consequência, já não estavam oferecendo a Deus o melhor de seus rebanhos; agiam meramente de forma mecânica. Deus foi explícito: "'Ah, se um de vocês fechasse as portas do templo! Assim ao menos não acenderiam o fogo do meu altar inutilmente. Não tenho prazer em vocês', diz o Senhor dos Exércitos, 'e não aceitarei as suas ofertas'" (Ml 1.10).

Ora, certamente Deus preferiria ter *algo* a nada. Mesmo que aquilo que lhe oferecemos não seja nosso melhor, ele deve se agradar por estarmos lhe dando alguma consideração, certo?

Na verdade, Deus disse exatamente o oposto. Ele preferiria que alguém fechasse as portas e impedisse o oferecimento de sacrifícios a ter pessoas fazendo sacrifícios casuais. Por quê? Porque Deus é santo e seu nome é grande: "'Pois do oriente ao ocidente, grande é o meu nome entre as nações. Em toda parte incenso é queimado e ofertas puras são trazidas ao meu nome, porque grande é o meu nome entre as nações', diz o Senhor dos Exércitos" (Ml 1.11). Deus se sente tão ofendido por essas falsas demonstrações de piedade que ele ameaça pegar o esterco de seus sacrifícios e manchar o rosto deles: "Por causa de vocês eu destruirei a sua descendência; esfregarei na cara de vocês os excrementos dos animais oferecidos em sacrifício em suas festas e lançarei vocês fora, com os excrementos" (2.3). Esse é um lembrete vívido de que Deus leva a adoração e o sacrifício muito a sério — e nós deveríamos fazer o mesmo!

O sacrifício definitivo

Tudo o que estamos dizendo sobre o sistema sacrificial do Antigo Testamento encontra seu ápice no sacrifício de Jesus Cristo. Os sacrifícios regulares oferecidos por Israel lançaram o alicerce para a vinda de Jesus. Quando ele chegou, o significado pleno do sistema sacrificial finalmente veio à tona.

Separe um minuto para ler Hebreus 9.11—10.25. Essa passagem lhe oferece a oportunidade de aplicar o que você acabou de aprender do livro de Malaquias. Eis uma forma de adorar a Deus com excelência: leia essa passagem com todo o coração. Não apenas folheie as páginas, mas estude com atenção, de forma reverente, como num ato de adoração.

Questões práticas e desafiadoras

1. Explique o que você já sabe sobre os sacrifícios do Antigo Testamento. Você já refletiu no sacrifício de Jesus à luz do sistema sacrificial do Antigo Testamento? Como foi isso?
2. Por que o sacrifício era um tema importante no Antigo Testamento?
3. Resuma o papel desempenhado pelo sacrifício na maneira como Israel se relacionava com seu Deus.
4. De que modo o sistema sacrificial do Antigo Testamento põe nosso pecado na perspectiva apropriada?
5. Leia Levítico 16. O que se destaca em sua leitura dessa descrição do Dia da Expiação?
6. O que o Dia da Expiação nos ensina sobre a natureza do pecado e a realidade do perdão?

7. De que modo a ênfase de Deus no coração do adorador influencia nossa maneira de abordar Deus em nossa adoração e em nossa vida cotidiana?
8. Leia Hebreus 9.11—10.25. À luz do que você estudou sobre o sistema sacrificial do Antigo Testamento e do que leu em Hebreus, de que modo o sistema de sacrifício e expiação nos ajuda a entender melhor o significado da morte de Jesus?
9. Passe algum tempo em oração. Peça a Deus que encha seu coração de todo o significado do sacrifício que Jesus ofereceu em seu lugar. Peça-lhe que quebrante seu coração pelo pecado em sua vida. Peça-lhe força e motivação para identificar e extirpar esse pecado. Ore para que sua vida seja o "sacrifício vivo" que Paulo descreveu em Romanos 12.1. E, acima de tudo, agradeça a Deus por sacrificar Jesus como substituto em seu lugar.

Assista ao vídeo.

16

A presença de Deus na terra

Existe algo mais importante que a presença de Deus entre nós? Pense nisto: o que poderia ser pior que estar separado do Deus todo-poderoso? A Bíblia está repleta de histórias que descrevem as bênçãos resultantes de sua presença e os horrores que acompanham sua rejeição. A presença de Deus entre as pessoas constitui tema central das Escrituras.

Deus fez *alianças* para mostrar seu desejo de estar presente na humanidade. Ele deu a *lei* para mostrar às pessoas como se portarem na presença dele. E ele estabeleceu *sacrifícios* para quando o pecado separasse as pessoas de sua presença. Boa parte do que vemos no Antigo Testamento se relaciona diretamente à presença de Deus.

Um dos aspectos mais fascinantes da lei do Antigo Testamento era uma tenda, referida como o tabernáculo. Esse era o lugar onde Deus encontrava seu povo. Deus vinha conduzindo Israel pelo deserto na forma de uma coluna de nuvem de dia e uma coluna de fogo à noite. Com o tabernáculo, Deus criou uma casa para si na terra. O tabernáculo acompanharia os israelitas por onde quer que fossem — a partir dali, Israel ficaria conhecido como o povo em meio ao qual Deus literalmente habitava.

O estabelecimento do tabernáculo e a presença de Deus na terra foram eventos grandiosos. Mas, para entender o significado pleno do que estava acontecendo ali, precisamos voltar ao começo da história.

A presença de Deus no jardim

No mundo perfeito criado por Deus, a humanidade vivia na presença dele. No jardim do Éden, Adão e Eva podiam interagir com

Deus sem a divisão causada pelo pecado. Viviam em paz com Deus, com a criação e um com o outro. A distância que sentimos de Deus hoje não fazia parte da experiência humana anterior à queda. Como vimos, porém, a queda mudou tudo.

Quando Adão e Eva se rebelaram contra Deus, o relacionamento com ele foi destruído. Primeiro Adão e Eva quebraram o relacionamento ao pecar, depois tentaram esconder-se da presença de Deus quando ele entrou no jardim. Tal separação só foi intensificada quando Deus os expulsou do jardim e colocou em sua entrada um guarda angelical armado. Desde então, nada tem sido mais importante para a humanidade que recuperar a presença de Deus.

O tabernáculo

Após Adão e Eva saírem do jardim, as pessoas tiveram dificuldades para encontrar a presença divina. É claro que a presença de Deus está literalmente em toda parte, e ele estava ativo ao longo de todo o Antigo Testamento, assim como está ativo hoje. Mas os encontros com Deus só aparecem aqui e ali, e a presença de Deus — no sentido que Adão e Eva experimentaram — estava perdida. É por isso que o tabernáculo é tão significativo. Deus estava oferecendo uma solução para o que deu errado no jardim. Sua presença se fora, mas agora ele viveria novamente com seu povo.

Na lição anterior, nós enfocamos o sistema sacrificial do Antigo Testamento. Esse sistema sacrificial se centrava numa localização específica: o tabernáculo. Basicamente, o tabernáculo era uma tenda onde a presença de Deus habitaria na terra. A peça central do tabernáculo era a arca da aliança: uma caixa coberta de ouro que continha uma cópia dos dez mandamentos, um jarro do maná que Deus usou para alimentar milagrosamente os israelitas durante sua jornada pelo deserto e a vara de Arão, que Deus havia feito brotar como sinal de seu poder vivificante. Na parte superior da arca havia dois querubins, e a presença de Deus ficava sobre a arca, entronizada entre essas figuras angelicais.

O tabernáculo era Deus criando uma forma de sua presença habitar na terra no meio de seu povo. Uma vez que as leis que regem o tabernáculo, sua concepção e as cerimônias envolvidas são tão complexas, é fácil ignorar seu significado quando lemos o Antigo Testamento. A verdade impressionante era que Deus mais uma vez abençoou seu povo com o maior presente possível: ele mesmo.

Nesse ponto da história de Israel, Deus ainda os levava de lugar a lugar por meio de uma coluna de nuvem ou de fogo. Toda vez que Deus quisesse que seu povo parasse, sua presença desceria no tabernáculo até chegar o momento de seguir em frente novamente. O tabernáculo evidenciava que Deus estaria agora com seu povo para onde quer que ele fosse. Era o sinal claro da presença de Deus na terra, um vislumbre do reino de Deus no meio dos reinos deste mundo, e uma amostra do jardim do Éden que os acompanhava para todo lugar.

A bênção de Deus sem a presença de Deus

Antes que os israelitas tivessem a chance de subestimar a presença de Deus, eles quase a perderam. Tão logo Deus lhe entregou a aliança no monte Sinai, Moisés desceu a montanha para transmiti-la ao povo. Moisés, porém, deparou com algo chocante. Ele saiu de uma conversa com o próprio Deus para encontrar o povo de Israel dançando e adorando um bezerro de ouro que haviam criado. Os dois primeiros mandamentos (Moisés tinha acabado de assistir ao dedo de Deus esculpindo-os em pedra) eram: "Não terás outros deuses além de mim" e "Não farás para ti nenhum ídolo, nenhuma imagem [...] porque eu, o SENHOR, o teu Deus, sou Deus zeloso" (Êx 20.3-5). Parecia que a aliança de Deus com Israel estava acabada antes mesmo de começar.

A maneira como Deus respondeu à idolatria de Israel foi devastadora em pelo menos dois aspectos. Primeiro, cerca de três mil homens morreram como resultado direto de seu pecado. Segundo, a nação de Israel chegou bem perto de perder a presença de Deus. Em Êxodo 33, Deus reafirmou sua promessa de dar a

Israel a terra que lhe havia prometido, mas acrescentou algo. Basicamente, ele disse: "Eu prometi dar a terra de Canaã a vocês e a seus descendentes. Agora vão e tomem posse dela, mas eu não irei com vocês. Enviarei um anjo para guiá-los em meu lugar".

Tenha em mente que nos capítulos anteriores Deus havia traçado os planos para o tabernáculo. Ele tinha dito: "E farão um santuário para mim, e eu habitarei no meio deles" (25.8). Agora, nós o vemos usando a mesma terminologia para expressar um conceito devastador: eu não habitarei entre vocês (33.3).

Nesse momento, Israel estava encarando a vida sem Deus. Por mais terrível que pareça, reflita no que Deus de fato ofereceu aqui. Deus estava oferecendo abençoar os israelitas sem que houvesse um relacionamento com ele. Do ponto de vista prático, isso faz muito sentido. As pessoas vão continuar pecando, então talvez seria mais fácil se elas aceitassem a bênção de Deus e seguissem seu caminho.

E, infelizmente, não é exatamente isso o que a maioria das pessoas quer hoje? A presença de Deus não é nada ruim, mas o que realmente queremos é aquilo que ele nos pode dar.

Nessa ocasião, Israel estava diante de um ponto crucial. A resposta de Moisés à oferta de Deus — a terra prometida, sem a presença dele — mostra que Moisés sabia exatamente o que estava em jogo aqui. Ele disse:

> Se não fores conosco, não nos envies. Como se saberá que eu e o teu povo podemos contar com o teu favor, se não nos acompanhares? Que mais poderá distinguir a mim e a teu povo de todos os demais povos da face da terra?
>
> Êxodo 33.15-16

Moisés reconhecia que Israel não tinha esperança alguma — não havia sentido em ser a nação de Israel — se não tivessem Deus com eles. A presença de Deus era o que os fazia diferentes. Israel não podia ser o povo de Deus sem a presença de Deus.

O templo

Por fim, Deus foi com seu povo, e este carregou o tabernáculo de um lugar para outro até Deus lhe dar a terra de Canaã, como havia prometido. Depois que Israel se estabeleceu na terra, Davi se tornou o rei da nação. Davi decidiu construir um templo, uma habitação permanente para substituir o tabernáculo. Uma vez que Davi era um homem de guerra, Deus lhe disse que seu filho Salomão construiria o templo em seu lugar.

Salomão levou sete anos para edificar o templo, que foi cuidadosamente construído e elaborado. Quando o templo foi finalmente concluído, Salomão o dedicou a Deus, e houve uma festa tremenda quando o Senhor encheu o templo. Assim como a presença de Deus havia residido no tabernáculo, agora tomaria todo o templo. A diferença mais significativa entre o tabernáculo e o templo era que este não era portátil. Lembre-se de Abraão e da promessa de Deus de que ele daria a Abraão e a seus descendentes a terra de Canaã. Agora que havia cumprido a promessa e seu povo vivia na terra prometida, Deus decidiu firmar uma residência permanente na terra. A terra de Canaã, a terra prometida que ele dera a Israel, foi o lugar, entre todo o mundo, onde Deus escolheu habitar.

Com o templo, Deus estava transmitindo uma poderosa imagem visual. Embora a humanidade houvesse se rebelado contra sua autoridade, Deus estava restabelecendo seu reino na terra. O reino de Israel, com o elaborado templo para abrigar a presença de Deus, era um vislumbre do que o mundo deveria ser. Era uma imagem da habitação de Deus no meio de sua terra, governando e abençoando seu povo.

Depois de concluir a construção do templo, Salomão o dedicou com uma oração solene. Essa oração mostra que Salomão entendia a importância daquele momento na história humana.

Um importante alerta

Tão logo a glória de Deus desceu e encheu o templo, Deus alertou Salomão de que sua presença habitaria entre eles somente enquanto permanecessem fiéis à sua aliança e obedecessem à sua lei. Em outras palavras, Deus habitava no meio de seu povo, mas apenas enquanto a vida desse povo reconhecesse sua presença. Assim que começasse a menosprezar Deus e sua presença, assim que voltasse as costas para Deus e seus mandamentos, Deus o deixaria com seu pecado. Em vez da bênção que resulta da presença de Deus, Israel experimentaria o juízo que acompanha a rejeição ao Senhor.

Tragicamente, o alerta de Deus em 1Reis 9 se tornou realidade. Em Ezequiel, o povo de Deus se encontra no exílio como punição por rejeitar o reino de Deus (discutiremos isso melhor numa lição futura). Ezequiel registra a ocasião em que a glória de Deus abandona o templo (Ez 10—11), um evento tão dramático quanto Deus enchendo o templo em 1Reis 8. Mais uma vez, o povo de Deus se viu alienado da presença divina na terra. Havia se tornado claro que o tabernáculo e o templo não seriam a solução definitiva. Sendo assim, como a humanidade seria capaz de viver na presença de Deus?

Deus se fez carne

Novamente, Jesus soluciona os problemas levantados pelos acontecimentos do Antigo Testamento. João abre seu evangelho descrevendo Jesus como a Palavra, que estava com Deus no início, e que era Deus. Então João disse algo chocante à luz do que vínhamos dizendo sobre a presença divina na terra. "Aquele que é a Palavra tornou-se carne e viveu entre nós. Vimos a sua glória, glória como do Unigênito vindo do Pai, cheio de graça e de verdade" (Jo 1.14).

Essa frase, "Aquele que é a Palavra tornou-se carne e viveu entre nós", carrega grande significado. A palavra que João usou para "viveu" significa literalmente "armou tenda". A palavra de João é uma tradução grega que vem da palavra hebraica para "tabernáculo" usada no Antigo Testamento. Portanto, João estava anunciando que o tabernáculo voltara, mas, dessa vez, na pessoa de Jesus

Cristo. Com Jesus, o problema da presença de Deus entre as pessoas é solucionado de uma vez por todas. Jesus nos mostra como é habitar com Deus e o que significa a humanidade incorporar a presença divina. Com Jesus, nunca temos de nos preocupar em perder a presença de Deus — ele veio e habitou entre nós, e nós estamos unidos a ele por causa de sua morte na cruz.

Além disso, a presença de Deus agora habita em nós mediante o Espírito Santo! De fato, Paulo disse que somos "o santuário do Espírito Santo" (1Co 6.19). Ele disse que estamos unidos como igreja e crescemos para nos tornar "um santuário santo no Senhor" (Ef 2.21). Em Jesus os crentes estão "sendo edificados juntos, para se tornarem morada de Deus por seu Espírito" (v. 22).

A presença de Deus encherá a terra

Discutiremos isso com maior profundidade no final da seção do Antigo Testamento, mas a Bíblia encerra com uma bela visão da glória de Deus enchendo a terra inteira (Ap 21—22). Desde o momento em que o Espírito Santo encheu a igreja primitiva em Atos 2, a presença de Deus habita na terra por meio de sua igreja. Mas, quando Jesus retornar para pôr a terra em ordem, o mundo todo será cheio da presença de Deus. Aquilo de que Adão e Eva desfrutaram no Éden será experimentado em cada ponto do globo, enquanto a humanidade renovada desfrutará da presença renovada de Deus numa criação renovada.

Questões práticas e desafiadoras

1. Por que a presença de Deus é tão importante para a humanidade?
2. Leia Êxodo 25.8-9 e 17—22. O que há de tão importante no tabernáculo e na arca da aliança?
3. Leia Êxodo 33.1-6. O que torna esse pronunciamento tão devastador para os israelitas?

4. Considere a presença de Deus em sua vida. Como você responderia à perspectiva da bênção de Deus sem a presença dele? Esqueça como você "deveria" responder. Tente responder honestamente.
5. Leia Êxodo 33.7-23. O que se destaca para você na resposta de Moisés?
6. Reflita nas experiências que Moisés e Israel tiveram com Deus e aponte como isso poderia impactar sua maneira de interagir com o Senhor.
7. Leia 1Reis 8.1-13,27-30. O que essa passagem revela sobre a glória de Deus e o significado de sua habitação entre o povo?
8. Leia 1Reis 9.1-9. O que o alerta de Deus a Salomão nos ensina sobre o que significa a presença divina habitando no meio de seu povo?
9. De que modo aquilo que você estudou até aqui o ajuda a entender o significado de Deus se tornando homem em Jesus e da igreja sendo identificada como lugar de habitação divina?
10. Passe algum tempo em oração. Peça a ajuda de Deus para entender o significado da presença dele na terra e para viver junto de outros cristãos de uma forma que reflita a presença e a glória dele em seu meio.

Assista ao vídeo.

17

O reino de Deus

Finalmente, depois dos anos de pecado e luta de Israel no deserto, Deus conduziu seu povo para a terra prometida! Israel testemunhou o poder incomparável de Deus em primeira mão à medida que seu exército destruía inimigos que eram muito maiores e mais armados.

A essa altura da história, o leitor poderia pensar que encontraríamos um Israel próspero, alegre no poder de Deus, desfrutando de sua presença, andando em seus caminhos e vivendo feliz para sempre. Tragicamente, porém, não é assim que a história se dá. Enquanto o livro de Josué registra a fidelidade de Deus em entregar a terra prometida a Israel, o livro de Juízes registra a infidelidade de Israel e a recusa de viver como Deus pretendia. Juízes parece uma montanha-russa: Israel cai no pecado e na apatia; Deus levanta um líder para libertá-lo; o povo mais uma vez reconhece Deus; Israel cai no pecado e na apatia; Deus levanta um líder para libertá-lo, e assim por diante.

Mas Israel inicia um período mais esperançoso quando Samuel entra em cena. Samuel foi um profeta de Deus e o último dos juízes. Com Samuel, Israel recebeu um líder temente que transmitia fielmente a palavra de Deus ao povo. Foi durante esse tempo que Israel se tornou uma monarquia. Para entender o significado dessa mudança, contudo, temos de olhar mais uma vez para o início.

O Rei da criação

Talvez você nunca tenha pensado sobre o relato da criação sob tal perspectiva, mas Gênesis 1 e 2 apresentam Deus como o Rei da criação. Esse Rei é tão poderoso e sua palavra possui tamanha autoridade que ele tem apenas de falar para chamar as coisas à existência. Gênesis 1 e 2 descrevem o Rei criando um reino sobre o qual ele governará. No jardim do Éden, tudo funcionava em perfeita harmonia e em perfeita submissão ao domínio do Rei. Nas primeiras páginas da Bíblia, encontramos um belo retrato de como funciona o mundo quando todos e tudo abraçam com alegria a autoridade do Rei.

Embora vejamos com frequência seres humanos rejeitando a autoridade de Deus e tentando firmar sua própria vontade, Deus originalmente criou a humanidade para governar em seu lugar:

> Então disse Deus: "Façamos o homem à nossa imagem, conforme a nossa semelhança. Domine ele sobre os peixes do mar, sobre as aves do céu, sobre os grandes animais de toda a terra e sobre todos os pequenos animais que se movem rente ao chão". Criou Deus o homem à sua imagem, à imagem de Deus o criou; homem e mulher os criou.
>
> Deus os abençoou, e lhes disse: "Sejam férteis e multipliquem-se! Encham e subjuguem a terra! Dominem sobre os peixes do mar, sobre as aves do céu e sobre todos os animais que se movem pela terra".
>
> Gênesis 1.26-28

A imagem que nos é dada aqui é a de Deus, o Soberano absoluto sobre a criação, delegando sua autoridade à humanidade. Fomos criados para mediar o domínio gracioso de Deus a cada parte de sua criação. A humanidade foi feita para funcionar sob o reinado de Deus.

Quando Adão e Eva comeram do fruto proibido, no entanto, eles abusaram de sua liberdade e rejeitaram o reinado divino. Com esse simples ato, o domínio de Deus sobre a terra foi desafiado. Adão e Eva escolheram seguir a serpente, Satanás. Tal inversão é tão significativa que Satanás é agora chamado de "príncipe deste mundo" (Jo 12.31). A realidade na qual vivemos hoje seria inconcebível para Adão e Eva antes da queda. Poderia o reinado de Deus de fato ser disputado no mundo que ele criou? Haveria a humanidade de rejeitar o reinado de Deus e viver em oposição? Por mais estranho que soasse isso antes da queda, tal é a luta que enfrentamos todos os dias de nossa vida.

O verdadeiro Rei de Israel

Outro retrato poderoso do reinado de Deus ocorre quando ele tira seu povo da escravidão no êxodo. Por meio das dez pragas, Deus mostrou ser o supremo soberano deste mundo — ele entrou no domínio do faraó e dos deuses egípcios e afirmou sua autoridade definitiva. Ao derrotar os falsos deuses do Egito e tirar seu povo da escravidão de modo vitorioso, Deus demonstrou ser o verdadeiro Rei de Israel e de toda a terra.

A aliança que Deus fez com seu povo no monte Sinai era uma expressão de seu reinado. Esse tipo de aliança, na qual o rei conquistador estabelece os termos acerca de como seu povo se relacionaria com ele, era comum entre as nações daquele tempo. Podemos observar isso claramente em Êxodo 19.5-6:

> Agora, se me obedecerem fielmente e guardarem a minha aliança, vocês serão o meu tesouro pessoal dentre todas as nações. Embora toda a terra seja minha, vocês serão para mim um reino de sacerdotes e uma nação santa. Essas são as palavras que você dirá aos israelitas.

Deus era o Rei, e Israel era o seu reino. O tabernáculo e o templo eram lugares de habitação para o Rei — eram seus palácios. Lembre-se de que a arca da aliança, onde a presença de Deus habitava, era a peça central do tabernáculo e do templo. A Bíblia de fato se refere à arca como o estrado dos pés do trono de Deus (1Cr 28.2; Sl 132.7). Isso nos mostra que o tabernáculo e o templo eram algo mais que amuletos da sorte ou forças espirituais que continham a presença de Deus. Esses lugares de habitação reconheciam o reinado de Deus; eram um lembrete de que Deus estava no meio de seu povo, reinando sobre ele e dele cuidando.

Após Deus guiar Israel até a terra prometida, o povo volta e meia escolhia afastar-se dele e da direção clara que ele lhe havia estabelecido no Sinai. Preferia fazer aquilo que lhe parecia bom no momento. O livro de Juízes registra: "Naquela época não havia rei em Israel; cada um fazia o que lhe parecia certo" (17.6; 21.25). Essa declaração não indica apenas que Israel ignorava as leis de Deus, mas também sugere uma solução: Israel precisava de um rei. Deus era o Rei de Israel por direito, mas o povo não estava disposto a enxergá-lo como tal. Parecia que o reino de Deus nunca seria plenamente estabelecido em Israel.

Israel ganha um rei

À primeira vista, parecia uma boa ideia que Israel fosse governado por um rei humano. O período dos juízes foi caótico; por isso, faria sentido estabelecer um governante notável que liderasse o povo. Além disso, todas as nações ao redor tinham seu rei, de modo que os israelitas deviam se considerar alvos fáceis. Tudo o que tinham era uma tenda e uma série imperfeita de líderes que Deus apontava para governar seu povo durante certo tempo. Será que não estariam em melhor situação com um rei humano?

Essa é a linha de raciocínio que levou Israel a pedir um rei normal a Deus. Leia o relato em 1Samuel 8 e preste atenção especial às advertências que Deus fez sobre o que estava realmente em jogo com tal decisão.

O problema aparece de imediato: Israel queria um rei para que pudesse ser "como todas as outras nações". Mas Israel jamais fora parecido com as outras nações — e esse é basicamente o ponto em todo o Antigo Testamento. Israel deveria ser uma nação única porque seu Deus era único. Ele estava separado dos demais porque tinha o Deus todo-poderoso habitando em seu meio. Tornar-se parecido com as outras nações era um passo enorme na direção errada. Deus advertiu os israelitas disso, mas eles não enxergaram o significado do que estavam fazendo. Ao escolher um rei humano, estavam rejeitando Deus como seu rei.

Primeiro, Deus apontou Saul como rei de Israel, mas Saul se revelou um mau representante do reino de Deus. O povo logo descobriu por que Deus o havia alertado sobre ter um rei humano. Mais uma vez, Israel tinha chegado a um beco sem saída. A história de Israel nos ensina continuamente que, não fosse o plano de Deus e sua persistente graça, toda esperança estaria há muito perdida.

A aliança de Deus com o rei Davi

Mas o Senhor ainda tinha planos para Israel. Depois de rejeitar Saul como governante, Deus chamou Samuel para ungir Davi, um pastor, como o próximo rei. O conceito de unção é importante. O rei de Israel era literalmente ungido com óleo, e assim ficaria conhecido como "o ungido do Senhor", um conceito que encontra sua expressão plena em Jesus.

Embora tenha levado algum tempo para confiar na promessa de Deus para ele, Davi se tornou o rei terreno por meio de quem Deus se relacionaria com seu povo como Rei celestial. Davi estava longe de ser perfeito, mas a Bíblia o descreve como "um homem segundo o coração de Deus" (1Sm 13.14), e ele estabelece o padrão ideal a ser seguido pelos reis de Israel.

O significado do que Deus realizaria por meio de Davi aparece em 2Samuel 7, onde Deus faz uma aliança com ele. No contexto desse capítulo, Davi olhou para todas as bênçãos que o Senhor lhe tinha dado e decidiu que honraria ao Senhor construindo uma casa para a arca da aliança. (Tal "casa" seria o templo que vimos na lição anterior.) Deus disse que Davi não construiria o templo — a tarefa ficaria a cargo de Salomão, seu filho —, mas também afirmou seus propósitos para Davi ao fazer uma aliança com ele. Essa aliança se baseava nos acordos que Deus fizera com Abraão e Moisés, mas expandia esses acordos e fazia promessas que encontraram seu cumprimento pleno em Jesus.

A aliança de Deus com Davi mostra que o Senhor ainda está agindo para cumprir suas promessas a Abraão. Lembre-se da aliança de Deus com Abraão. Em Gênesis 12.1-2, Deus promete tornar o nome de Abraão famoso. Em Gênesis 15.18, promete dar a Abraão e a seus descendentes a terra de Canaã. Em Gênesis 17.3-7, diz a Abraão que manteria sua aliança com os descendentes de Abraão e que de Abraão viriam nações e até mesmo reis.

Agora considere o que Deus prometeu a Davi em 2Samuel 7. Prometeu tornar o nome de Davi famoso (v. 9), plantar Israel na terra de Canaã (v. 10) e levantar a descendência de Davi e manter sua linhagem no trono (v. 12). As promessas que Deus fez a Abraão foram reiteradas na aliança feita com Moisés, e agora novamente nas promessas feitas a Davi. Apesar da infidelidade de Israel, Deus ainda estava agindo para realizar seus propósitos para seu povo.

Antes de Israel entrar na terra prometida, Deus disse profeticamente a seu povo que, depois de se estabelecerem na terra, este o rejeitaria e escolheria ser governado por um rei humano (Dt 17). Sabendo que isso aconteceria, Deus já havia estabelecido uma forma de Israel continuar a buscar seus propósitos para ele como reino. A intenção era que Deus reinasse como Rei sobre seu povo mediante seu relacionamento — sua aliança — com esse rei terreno. O rei terreno de Israel seguiria o domínio de Deus e se submeteria ao seu reinado. Agindo assim, ele seria um reflexo do verdadeiro Rei de Israel. Além disso, Deus continuou a dar profetas a Israel, os quais manteriam o poder dos reis em xeque, mostrando que Deus é o verdadeiro Rei e assegurando que aqueles reis humanos governariam em nome do Senhor.

O Rei vindouro

O que Deus fez por intermédio de Davi como rei de Israel reflete o que estivera fazendo por intermédio de seu povo desde o momento em que o formou. Mas aponta também para o que Deus faria mediante seu Filho, Jesus Cristo. Não deveria nos surpreender que Davi, em última análise, não conseguisse ser o rei perfeito de Israel. Ele fracassou em diversos aspectos, sendo o mais memorável deles ter engravidado Bate-Seba e depois matado o marido dela, numa tentativa de esconder seu pecado. Davi recebeu o perdão de Deus e continuou sendo o padrão com o qual os outros reis eram comparados, mas sua obediência imperfeita fez o povo de Deus ansiar e esperar por outro rei.

Os profetas continuaram a revisitar a ideia de que um rei viria da linhagem de Davi e que esse rei devolveria a ordem ao reino de Israel — e a todos os reinos da terra. Esse futuro rei restauraria o mundo a seu desígnio original. Isaías 11 descreve tal rei como "um ramo que surgirá do tronco de Jessé" (Jessé era o pai de Davi) sobre o qual o Espírito do Senhor repousará. Ele governará Israel e as nações com perfeição. Jeremias 23.5-6 descreve o rei como um "renovo justo" da linhagem de Davi, alguém que "reinará com sabedoria e fará o que é justo e certo na terra" e cujo nome será "O Senhor é a Nossa Justiça". Ezequiel 34.23-24 descreve o rei como o pastor perfeito para o povo de Deus. Amós 9.11-12 diz que Deus reconstruirá a tenda caída de Davi, e Oseias 3.5 visualiza Israel mais uma vez buscando o Senhor sob o reinado de "Davi, seu rei".

O futuro de Deus para Israel estava bastante ligado ao conceito de Israel como um reino sob o comando do Ungido do Senhor, que mediaria o governo soberano de Deus. Observe as imagens usadas por Deus ao falar sobre o futuro de seu povo:

> O meu servo Davi será rei sobre eles, e todos eles terão um só pastor. Seguirão as minhas leis e terão o cuidado de obedecer aos meus decretos. Viverão na terra que dei ao meu servo Jacó, a terra onde os seus antepassados viveram. Eles e os seus filhos e os filhos de seus filhos viverão ali para sempre, e o meu servo Davi será o seu líder para sempre. Farei uma aliança de paz com eles; será uma aliança eterna. Eu os firmarei e os multiplicarei, e porei o meu santuário no meio deles para sempre. Minha morada estará com eles; eu serei o seu Deus, e eles serão o meu povo. Então, quando o meu santuário estiver entre eles para sempre, as nações saberão que eu, o Senhor, santifico Israel.
>
> Ezequiel 37.24-28

Em busca do reino de Deus

Depois do reinado de Davi, Israel teve uma linhagem real decepcionante. Por fim, o reino de Israel se tornou tão mau que Deus enviou seu povo da terra prometida para o exílio (um período na história de Israel que exploraremos no próximo capítulo). Uma vez que Israel perdeu o reino, sua identidade nacional estava em risco. Ele queria desesperadamente recuperar o reino, mas somente com a chegada de Jesus isso se tornaria realidade.

Os livros de Esdras e Neemias registram um retorno parcial do povo de Deus, porém ainda não havia reino algum. O livro de Daniel promete que o reino virá no futuro e que o "Filho do homem" governará todas as nações.

Conforme folheamos as últimas páginas do Antigo Testamento e começamos a ler o Novo Testamento, vemos que o reino de Deus ainda é uma questão prioritária. Tanto é que Jesus entra em cena "proclamando as boas-novas de Deus", dizendo: "O tempo é chegado. O Reino de Deus está próximo. Arrependam-se e creiam nas boas-novas!" (Mc 1.14-15). Trata-se de uma proclamação incrivelmente empolgante à luz da história de Israel como reino! O reino finalmente chegou — as boas-novas que Jesus estava proclamando afirmavam que o reino de Deus havia voltado e ele estava ali para governar como o Ungido de Deus! De fato, desde o instante em que o nascimento de Jesus foi anunciado, ficou claro que ele era o Rei vindouro, o Soberano da linhagem de Davi que traria o reino perfeito de Deus para a terra.

Ao anunciar o nascimento de Jesus, o anjo usou basicamente a mesma terminologia que vimos em 2Samuel 7 quando Deus fez sua aliança com Davi. Jesus era o verdadeiro Rei de Israel:

> Você ficará grávida e dará à luz um filho, e lhe porá o nome de Jesus. Ele será grande e será chamado Filho do Altíssimo. O Senhor Deus lhe dará o trono de seu pai Davi, e ele reinará para sempre sobre o povo de Jacó; seu Reino jamais terá fim.
>
> Lucas 1.31-33

Estamos quase chegando ao Novo Testamento. A maioria de nós tem mais familiaridade com o ensino do Novo Testamento, mas entender o Antigo Testamento nos ajuda a enxergar com mais clareza o que o Novo Testamento está nos dizendo. Em última análise, o Novo Testamento diz total respeito a Jesus Cristo. Esse termo *Cristo* é um título, e não um sobrenome. É, na verdade, a tradução grega da palavra hebraica para "Messias", ou "o Ungido". Quando Jesus entrou em cena, veio como o Rei ungido de Israel. Seu papel é mediar o reinado soberano de Deus sobre sua terra e seu povo. Nós ainda temos uma função a cumprir, mas primeiro precisamos perceber que o reino de Deus tem uma longa história.

Questões práticas e desafiadoras

1. Reserve um minuto para pensar no que você aprendeu acerca de Deus na leitura de Gênesis 1 e 2. De que modo o reinado de Deus é estabelecido e demonstrado no relato da criação?
2. Leia 1Samuel 8. O que essa passagem nos diz sobre o significado da escolha dos israelitas de serem governados por um rei humano?
3. Leia 2Samuel 7. Que promessas Deus fez a Davi nessa passagem?
4. Passe algum tempo pensando nessas promessas de um futuro Rei (considere analisar as passagens mencionadas nos últimos dois parágrafos). De que modo o conceito de um rei vindo da linhagem de Davi prepara o cenário para a chegada de Jesus no Novo Testamento?
5. Leia o anúncio do nascimento de Jesus em Lucas 1.26-33. De que modo a linguagem usada aqui nos ajuda a enxergar Jesus à luz do reino do Antigo Testamento?
6. Para nós, por que é importante visualizar Jesus como o ponto culminante da linhagem real de Davi?

7. De que modo o reinado de Deus e de seu Ungido impacta nossa maneira de enxergar o relacionamento que temos com Deus e com seu Filho?
8. Passe algum tempo em oração. Ore para que Deus ajude você a submeter-se amorosamente a seu reinado como o Rei da criação. Ore para que o reinado de Deus sobre este mundo seja estabelecido e que este mundo rebelde veja Jesus como o verdadeiro Rei.

Assista ao vídeo.

18

O exílio e a promessa de restauração

A fidelidade de Deus e a desobediência de Israel

Vez após vez, Deus foi fiel em suas promessas a seu povo. Ele multiplicou os descendentes de Abraão, formando uma grande nação, plantou os israelitas na terra de Canaã e estabeleceu a linhagem real de Davi. Mas Deus também havia prometido que, caso Israel desobedecesse, o povo seria conquistado por uma nação estrangeira, removido de sua terra natal e levado para o exílio. Deus havia prometido essa punição se Israel lhe desobedecesse e, após gerações de espera paciente pelo arrependimento do povo, ele permaneceu fiel à sua promessa.

É difícil ler o Antigo Testamento sem ficar perplexo pela constante desobediência de Israel. Enquanto Moisés guiava os israelitas pelo deserto, eles se queixavam constantemente. Quando Moisés subiu ao monte Sinai para receber a lei de Deus, criaram um ídolo de ouro e o adoraram. Quando Deus os colocou na terra de Canaã, continuaram se afastando dele para adorar ídolos. A idolatria aparece ao longo de toda a história de Israel. Embora houvesse momentos de reforma, Israel parecia inclinado a rejeitar Deus. Ele lidava pacientemente com essa idolatria, mas sua justiça não seria retida para sempre.

A maldição pela desobediência

Quando fez sua aliança com Moisés e Israel, Deus lhes deu a lei para mostrar-lhes exatamente o que esperava deles como seu povo. Prometeu-lhes que, se obedecessem à sua lei, seriam abençoados e viveriam na terra de Canaã em paz e segurança. Mas, se desobedecessem, experimentariam seu juízo em lugar de sua bênção. Entre outras coisas, isso significava que eles seriam levados para o exílio.

A promessa do exílio

Todos os juízos alistados em Deuteronômio 28 são assustadores. O povo de Israel era caracterizado por seu relacionamento singular com Deus. Era conhecido por receber o favor especial do Senhor. Sendo assim, a ideia de encarar o juízo de Deus em lugar de sua bênção era devastadora. As promessas de fracasso agrícola e derrota militar eram bastante ruins, mas o exílio trazia um nível mais profundo de juízo. Israel seria abandonado por Deus, derrotado por um inimigo distante e depois arrancado da terra que Deus lhe dera. Sem a presença de seu Deus e da terra dada por ele, Israel perderia sua identidade.

Imagine o horror de ouvir estas palavras de Deus:

> O SENHOR os levará, e também o rei que os governar, a uma nação que vocês e seus antepassados nunca conheceram. Lá vocês adorarão outros deuses, deuses de madeira e de pedra. [...] Uma vez que vocês não serviram com júbilo e alegria ao SENHOR, o seu Deus, na época da prosperidade, então, em meio à fome e à sede, em nudez e pobreza extrema, vocês servirão aos inimigos que o SENHOR enviará contra vocês. Ele porá um jugo de ferro sobre o seu pescoço, até que os tenha destruído.
>
> Deuteronômio 28.36,47-48

Se Israel não servisse ao seu Deus, acabaria servindo aos seus inimigos. Adoraria imagens esculpidas, clamando por livramento a blocos de madeira e pedra. Perceba que, quando Deus falou essas palavras, elas eram somente um alerta: Israel nem sequer havia entrado na terra prometida. Contudo, a desobediência de Israel era inevitável, e a única surpresa verdadeira foi o tempo que Deus esperou até punir seu povo.

Um reino dividido e derrotado

No capítulo anterior, mencionamos que o livro de Josué mostra Israel tomando posse da terra de Canaã e que o livro de Juízes registra o caos, a apatia e a idolatria que caracterizavam Israel depois de seu estabelecimento na terra. Também falamos sobre Davi se tornando o rei de Israel e a promessa de Deus de estabelecer sua linhagem real. Uma geração após o reinado de Davi, porém, os israelitas se tornaram tão obstinados e sedentos de poder que acabaram se dividindo em dois acampamentos: o reino do norte, Israel, e o reino do sul, Judá.

Israel nunca se recuperou plenamente dessa divisão. O reino do norte era quase todo ímpio — seguia reis ímpios em toda forma de pecado. O reino do sul teve alguns bons reis e passou por alguns bons anos, mas, no geral, seguiu o mesmo padrão de impiedade e idolatria. Em 722 a.C., a Assíria conquistou o reino do norte e levou seus habitantes para o cativeiro. O reino do sul deveria ter aprendido com os erros de Israel — Deus lhe permitiu esperar por mais cem anos, mas, por fim, sofreu o mesmo destino. Em 597 a.C., a Babilônia conquistou Judá e levou o povo para o cativeiro.

O juízo de Deus sobre Israel era totalmente apropriado à luz do que ele havia feito, mas é importante reconhecer que essa nunca foi a intenção divina. Em outras palavras, Deus não queria enviar seu povo para o exílio. Perceba a angústia na voz de Deus lamentando a perda de seu povo:

> Como posso desistir de você, Efraim? Como posso entregá-lo nas mãos de outros, Israel? Como posso tratá-lo como tratei Admá? Como posso fazer com você o que fiz com Zeboim? O meu coração está enternecido, despertou-se toda a minha compaixão.
>
> Oseias 11.8

Deus odiou o exílio, e a história de Israel mostra que ele agiu com lentidão e pesar a esse respeito. O Senhor continuou enviando profetas para alertar seu povo, mas ele se recusou a ouvir. Por fim, Israel escolheu o exílio para si, e Deus permaneceu fiel à sua promessa de puni-lo por sua rebeldia.

Israel no exílio

Com o exílio, o futuro de Israel parecia incerto. Mas Deus ainda estava agindo. Ele ainda falava aos exilados por intermédio dos profetas. Mesmo depois de remover Israel de sua terra, Deus ainda o chamava ao arrependimento e lhe prometia um futuro.

Como era possível que Deus ainda amasse e buscasse seu povo a essa altura? Seu povo não o amava e provou isso ao longo de constante rebeldia. Havia muito tempo desde que ele se afastara de Deus para confiar em si mesmo. Seguiu reis estrangeiros e adorou falsos deuses. Mereceu a ira e o juízo divinos. Mas ainda assim não foi totalmente destruído. Por que não? O Antigo Testamento está cheio de histórias de Deus destruindo nações inteiras por sua impiedade. Por que Deus não fez o mesmo com Israel?

Deus tinha muito em jogo para destruir Israel. Seus propósitos de redenção estavam emaranhados na nação israelita. Ela era seu povo — ele a havia criado, chamado para si, e estava executando seu plano de restaurar o mundo por meio daquele grupo singular de pessoas. Israel era conhecido como o povo de Deus. Quando foi conquistado e levado para o exílio, as outras nações presumiram que isso aconteceu porque seu Deus não era forte o suficiente para lhe dar vitória militar. Veja como Deus explicou essa situação:

> Eu os dispersei entre as nações, e eles foram espalhados entre os povos; eu os julguei de acordo com a conduta e as ações deles. E, por onde andaram entre as nações, eles profanaram o meu santo nome, pois se dizia a respeito deles: "Esse é o povo do SENHOR, mas assim mesmo teve que sair da terra que o SENHOR lhe deu". Tive consideração pelo meu santo nome, o qual a nação de Israel profanou entre as nações para onde tinha ido.
>
> Ezequiel 36.19-21

Nessa passagem, Deus deixa claro que Israel mereceu sua punição. Mas ele também deu sua resposta final à razão por que não desistiria de seu povo: seu próprio nome. Ele o preservaria por causa de seu santo nome.

A nova aliança

Enquanto Israel estava no exílio, Deus fez promessas ao povo em Ezequiel 36 e em outras passagens. Ele garantiu que lhe traria de volta à terra prometida. Seria novamente o seu Deus, e ele seria o seu povo. Em muitos aspectos, Deus estava reafirmando as alianças feitas com Abraão, Moisés e Davi. Sem dúvida, o exílio de Israel não duraria para sempre. Tanto é que os livros de Esdras e Neemias registram a maravilhosa provisão de Deus em trazer Israel de volta a Jerusalém para reconstruir o muro e o templo, que haviam sido destruídos. Ainda assim, algo estava faltando. Só um número relativamente pequeno de israelitas retornou a Jerusalém dessa vez, o templo reconstruído não podia competir com a grandeza do templo construído por Salomão, a glória de Deus não retornou ao templo, e o reino de Deus não foi restaurado a Israel. O povo de Deus sabia que tinha de haver mais. E havia.

Deus fez grandes promessas a Israel em Ezequiel 36.25-27 e restaurou a esperança a uma nação desesperançada. Israel havia se contaminado com sua idolatria, mas Deus prometeu purificá-lo. Israel tinha um coração de pedra incapaz de amar a Deus, mas Deus prometeu remover o coração de pedra e dar-lhe um coração vivo feito de carne. Israel havia provado que era incapaz de obedecer aos mandamentos de Deus, mas Deus prometeu colocar seu Espírito dentro dele e capacitá-lo a seguir seus mandamentos. Essas promessas mostram que o plano de Deus para seu povo envolvia muito mais que apenas trazê-lo de volta do exílio. Deus recriaria seu povo. Seria mudado de dentro para fora.

Lembre-se de que na lição anterior Deus fez a promessa a Davi de que sua linhagem real teria continuidade. Ainda que os reis que governaram depois de Davi não tenham conseguido ser bons administradores da autoridade real divina, os profetas criam e ensinavam que um rei viria e estabeleceria o reino perfeito de Deus sobre seu povo. Esse rei seria um dos descendentes de Davi, e ele era por vezes chamado simplesmente pelo nome Davi. Logo após a promessa de restaurar e recriar Israel, Deus disse a Ezequiel que seu rei vindouro estabeleceria uma nova aliança eterna com seu povo:

> O meu servo Davi será rei sobre eles, e todos eles terão um só pastor. Seguirão as minhas leis e terão o cuidado de obedecer aos meus decretos. Viverão na terra que dei ao meu servo Jacó, a terra onde os seus antepassados viveram. Eles e os seus filhos e os filhos de seus filhos viverão ali para sempre, e o meu servo Davi será o seu líder para sempre. Farei uma aliança de paz com eles; será uma aliança eterna. Eu os firmarei e os multiplicarei, e porei o meu santuário no meio deles para sempre. Minha morada estará com eles; eu serei o seu Deus, e eles serão o meu povo. Então, quando o meu santuário estiver entre eles para sempre, as nações saberão que eu, o SENHOR, santifico Israel.
>
> Ezequiel 37.24-28

A promessa de uma nova aliança levanta uma pergunta óbvia: o que havia de errado com a antiga aliança? A resposta é simples: o pecado. Por causa de seu coração pecaminoso, o povo de Israel quebrava constantemente as alianças que tinha com Deus. Durante a maior parte de sua história, Israel foi idólatra e imoral. A triste realidade é que ele era incapaz de algo diferente. Apesar das centenas de vezes que os profetas de Deus chamaram o povo ao arrependimento, ele permaneceu em rebeldia. Mas isso tudo mudaria.

Veja como Jeremias descreveu a nova aliança:

> "Estão chegando os dias", declara o SENHOR, "quando farei uma nova aliança com a comunidade de Israel e com a comunidade de Judá. Não será como a aliança que fiz com os seus antepassados quando

> os tomei pela mão para tirá-los do Egito; porque quebraram a minha aliança, apesar de eu ser o SENHOR deles", diz o SENHOR. "Esta é a aliança que farei com a comunidade de Israel depois daqueles dias", declara o SENHOR: "Porei a minha lei no íntimo deles e a escreverei nos seus corações. Serei o Deus deles, e eles serão o meu povo. Ninguém mais ensinará ao seu próximo nem ao seu irmão, dizendo: 'Conheça ao SENHOR', porque todos eles me conhecerão, desde o menor até o maior", diz o SENHOR. "Porque eu lhes perdoarei a maldade e não me lembrarei mais dos seus pecados."
>
> Jeremias 31.31-34

A nova aliança era diferente em diversos aspectos. Na antiga aliança, a lei estava escrita em pedra. Na nova aliança, a lei seria escrita no coração humano. Sob a nova aliança, o povo de Deus já não seria pego na religião externa; ele experimentaria mudança espiritual — seria vivificado espiritualmente. A obediência já não seria a condição para entrar na aliança; a obediência seria a promessa que o povo de Deus experimentaria mediante a nova aliança.

Sob a antiga aliança, o povo entrava em contato com Deus pela mediação de homens falhos (os sacerdotes). Esses homens falhos ofereciam sacrifícios contínuos, e Deus pacientemente omitia seu pecado. Mas, sob a nova aliança, o povo de Deus o encontraria diretamente pela mediação de um homem sem falhas — Jesus Cristo. E esse homem sem falhas ofereceu a si mesmo como sacrifício definitivo. O sacrifício de Jesus não omitia o pecado; ele pagava pelo pecado e o removia de modo permanente.

É fácil ler o Antigo Testamento e perder a paciência com Israel. Nós nos cansamos de sua rebeldia e queremos gritar: "Por que vocês não entendem? Parem de adorar ídolos! Voltem-se para Deus!". E, de certa forma, o Antigo Testamento está ali para nos mostrar quão imprudente e destrutivo nosso pecado pode ser. Mas precisamos ter cuidado para não ser rígidos demais em relação aos israelitas. Na realidade, o problema deles é o nosso problema. Precisamos ter cuidado para não ficar tão admirados da rebeldia obstinada deles a ponto de negligenciar a nossa. Tanto é que Jeremias descreveu o pecado de Israel em termos universais:

> O coração é mais enganoso que qualquer outra coisa e sua doença é incurável. Quem é capaz de compreendê-lo?
>
> Jeremias 17.9

Todos nós enfrentamos o mesmo problema. O pecado não é um fator externo com que deparamos vez ou outra. Ele impregna cada coração humano. O pecado de Israel é o nosso pecado — somos todos, por natureza, quebradores da aliança e incapazes de obedecer. E, uma vez que enfrentamos o mesmo problema que Israel, a nova aliança também é boa notícia para nós. Podemos agora desfrutar dos benefícios de ser recriados por Deus, transformados de dentro para fora.

A nova aliança inclui os principais elementos das antigas alianças que Deus havia feito com Abraão, Moisés e Davi. Ainda é centrada em Deus e seu povo — perceba esta importante frase: "Eu serei o seu Deus, e eles serão o meu povo" — e ele ainda promete restauração para Israel. Porém, a nova aliança também inclui esperança e cura para todas as nações da terra (Is 42.6; 49.6; 55.3-5; 56.4-8; 66.18-24). O plano divino de redenção consiste em redimir toda a sua criação, mas Israel havia perdido de vista esse chamado. A nova aliança uniria judeus e gentios. Quando Adão e Eva se rebelaram contra Deus, o mundo inteiro sucumbiu ao poder destrutivo do pecado. Mas agora, com a nova aliança, toda a criação experimentaria o poder divino de redimir e restaurar.

A nova aliança no sangue de Jesus

Conforme o Antigo Testamento se aproxima do final, vemos que o futuro de Israel ainda permanece incerto. Mas ficamos com duas promessas muito importantes: 1) Deus enviaria seu Messias, um Rei da linhagem de Davi; e 2) Deus faria uma nova aliança com seu povo, a qual o recriaria e o capacitaria a seguir seu governo.

Desde seu nascimento, Jesus demonstrou ser o Messias de Deus. Seu ministério mostrava que ele era o verdadeiro Rei de Israel. E, antes de ser crucificado, Jesus reuniu seus discípulos, e juntos celebraram a Páscoa. Não se esqueça de que a Páscoa relembrava o ato de redenção divina ao libertar o povo da escravidão e que, imediatamente depois desse êxodo, Deus estabelecera sua aliança com Moisés e Israel. Quando celebrou a Páscoa com seus discípulos, Jesus partiu o pão, distribuiu o vinho e disse a seus discípulos que esses elementos agora representariam seu corpo crucificado e seu sangue derramado. Com grande significado, Jesus tomou o vinho e disse: "Este cálice é a nova aliança no meu sangue, derramado em favor de vocês" (Lc 22.20). Com Jesus, a nova aliança havia chegado. E continuaremos a discutir a beleza disso conforme estudamos o Novo Testamento.

Questões práticas e desafiadoras

1. Leia Deuteronômio 28. Com base no que você estudou nas lições anteriores, de que modo as bênçãos oferecidas nos versículos 1-14 se tornaram uma realidade na vida de Israel?
2. Resuma os juízos nos versículos 15-68 que Deus disse que viriam sobre Israel caso ele desobedecesse.
3. Leia 2Reis 17.1-23. Essa passagem descreve Israel sendo levado para o exílio. O autor não apenas descreve o evento; ele inclui uma explicação teológica para o ocorrido. De acordo com essa passagem, por que Israel foi mandado para o exílio?
4. À luz da persistente rebeldia de Israel, por que, a seu ver, Deus ainda se sentiu triste por enviar o povo para o exílio?
5. Leia Ezequiel 36.16-38. Por que Deus estava prometendo restaurar Israel? Por que isso é significativo?
6. Preste atenção especial aos versículos 25-27. Deus prometeu purificar seu povo, dar-lhe um novo coração e pôr seu Espírito nele. Qual é a importância dessas promessas?

7. Reserve algum tempo para meditar em Ezequiel 36.25-27 e Jeremias 31.31-34. O que torna a nova aliança tão singular e importante?
8. À medida que o Antigo Testamento chega ao fim, vemos que Deus prometeu enviar um Rei da linhagem de Davi e fazer uma nova aliança com seu povo. De que modo essas promessas afetam nossa vida hoje?
9. Passe algum tempo em oração. Peça a Deus que trate o pecado em seu coração e lhe dê um coração que o ame e se submeta ao domínio divino. Agradeça-lhe por suas promessas de redenção e pela maravilhosa realidade da nova aliança estabelecida no sangue de Jesus.

Assista ao vídeo.

PARTE 5

Entendendo o Novo Testamento

19

Jesus, o Messias

Entre os Testamentos

Desde o momento em que Adão e Eva pecaram, Deus estava executando um plano de redenção. Mesmo com as falhas de Israel, o plano de Deus permaneceu intacto. Em nossa última sessão no Antigo Testamento, notamos que Deus deu a Israel duas importantes promessas: 1) ele enviaria seu Messias, que seria um Rei da linhagem de Davi; e 2) estabeleceria uma nova aliança para restaurar seu relacionamento com seu povo.

O plano de Deus não podia falhar, mas é possível que os israelitas tivessem suas dúvidas. No término do Antigo Testamento, a maioria dos israelitas ainda estava no exílio. Estavam separados das coisas que lhes conferia sua identidade. Foram removidos da terra prometida e afastados do templo, que depois acabou destruído. Esses eram os maiores problemas para Israel. Como seriam o povo de Deus se não podiam adorar no templo nem oferecer sacrifícios para expiar seu pecado?

Por fim, muitos israelitas voltaram à terra prometida, mas não era a mesma coisa. O Império Romano agora dominava o lugar. Os israelitas tinham certas liberdades. Herodes até construiu um novo templo e lhes permitiu adorar e oferecer sacrifícios ali. Todavia, estavam sujeitos ao domínio romano, e Israel não parecia em nada com um reino.

Muitos judeus ainda acreditavam que Deus restauraria o reino, mas estavam profundamente divididos a respeito de como isso aconteceria. Diversos partidos de judeus se formaram baseados em como esperavam que o reino fosse restaurado. Os fariseus acreditavam que a obediência radical à lei causaria a vinda do Messias e removeria os gentios do poder. Os saduceus forjaram uma aliança com os romanos para ganhar *status* e controlar o templo. Os zelotes esperavam um Messias revolucionário que viria como guerreiro e derrotaria os pagãos. Os essênios acreditavam que a situação em Jerusalém estava tão corrompida tanto pelos romanos quanto pelos israelitas infiéis que se retiraram para o deserto a fim de agradar a Deus no isolamento. De modo geral, a situação estava confusa e, por vezes, parecia desesperadora.

Foi no meio dessa bagunça de esperanças e ideologias conflitantes que Jesus nasceu, na pequena cidade de Belém, filho de pais humildes — um casal da cidade de Nazaré que descendia da linhagem de Davi.

A conexão entre os dois Testamentos é clara. Os últimos dois versículos do Antigo Testamento trazem o seguinte:

> Vejam, eu enviarei a vocês o profeta Elias antes do grande e temível dia do SENHOR. Ele fará com que os corações dos pais se voltem para seus filhos, e os corações dos filhos para seus pais; do contrário, eu virei e castigarei a terra com maldição.
>
> Malaquias 4.5-6

Na sequência, a narrativa do Novo Testamento seleciona um sacerdote velho e temente a Deus chamado Zacarias. Ele estava no templo queimando incenso quando um anjo apareceu e lhe disse que sua esposa lhe daria um filho que

> Fará retornar muitos dentre o povo de Israel ao Senhor, o seu Deus. E irá adiante do Senhor, no espírito e no poder de Elias, para fazer voltar o coração dos pais a seus filhos e os desobedientes à sabedoria dos justos, para deixar um povo preparado para o Senhor.
>
> Lucas 1.16-17

Ponto de partida

Esse profeta que veio "no espírito e no poder de Elias" era João Batista. Seu papel era apontar o caminho para Jesus. E, com efeito, é isso que o Novo Testamento inteiro faz. Apresenta a vida, o ensino, o ministério, a morte e a ressurreição de Jesus de tal modo que nós temos de entrar em acordo com ele. Desde o momento em que Jesus entrou em cena, ficou claro que ele era diferente. Suas ações, ensino e ministério surpreenderam todos que cruzaram seu caminho. Mas, antes de prosseguirmos adiante na história, dedique um minuto para conhecer o início do ministério de Jesus.

Jesus, o Messias

Jesus certa vez perguntou a seus discípulos: "Quem vocês dizem que eu sou?". Pedro respondeu: "Tu és o Cristo, o Filho do Deus vivo" (Mt 16.15-16). Estamos tão acostumados com o termo *Cristo* que ele provavelmente não chama nossa atenção. No entanto, era significativo para Pedro, e deveria ser para nós também.

Lembre-se de que Israel estava à espera do Messias, o Rei que viria da linhagem de Davi. Quando Jesus era chamado de "o Cristo", estava sendo identificado como tal Messias. "Cristo" é simplesmente a tradução grega da palavra hebraica *Messias*. Portanto, referir-se a Jesus como o Cristo é algo grandioso porque estamos dizendo que ele é o Messias prometido — a pessoa através da qual Deus realizaria seu plano de redenção. A solução divina definitiva para o problema do pecado havia chegado. Paulo se referiu a esse momento como "a plenitude do tempo", o ápice da história humana (Gl 4.4)! Tão importante é a afirmação do Novo Testamento de que Jesus é o Messias que João escreveu seu evangelho para comprovar esse ponto: "Mas estes foram escritos *para que vocês creiam que Jesus é o Cristo*, o Filho de Deus e, crendo, tenham vida em seu nome" (Jo 20.31).

Um homem, porém mais que isso

Quando Jesus começou a viajar pela terra de Israel, houve grande agitação. Imagine quão interessado você ficaria se ouvisse falar de um homem andando por aí restaurando a vista aos cegos, curando os enfermos e até ressuscitando os mortos! Pense nisso por um minuto. Pessoas que passaram a vida inteira em completa escuridão tiveram um encontro com Jesus e de repente conseguem ver. Pessoas que estavam irreversivelmente mutiladas ou enfermas de súbito se tornam sãs outra vez. Pessoas que estavam de luto pela morte de um familiar soluçam incrédulas enquanto seguram o filho nos braços novamente. Ele estava fazendo o impossível! Não é nenhuma surpresa que Jesus atraísse multidões por onde fosse.

Antes, porém, de focarmos os elementos sobrenaturais da vida de Jesus, é importante reconhecer um ponto óbvio: Jesus era um homem. O Novo Testamento mostra que Jesus era plenamente humano. Mateus e Lucas mostram isso ao registrar a genealogia de Jesus — Mateus remonta à árvore genealógica de Jesus até Davi e Abraão, enquanto Lucas traça todo o caminho até o primeiro homem, Adão. Nós também sabemos que Jesus era verdadeiramente humano porque ele ficava com fome (Mt 4.2), cansado (Jo 4.6) e chorava (Jo 11.35). O retrato mais vívido da humanidade de Jesus foi sua dolorosa morte na cruz. Sua agonia era real, e ele de fato sofreu. Uma coroa de espinhos tirou sangue verdadeiro enquanto era enfiada em seu couro cabeludo. As chicotadas que suportou e os pregos martelados em suas mãos foram tão dolorosos para ele quanto seriam para você. Jesus era tão humano quanto nós.

Tendo dito isso, o Novo Testamento afirma com a mesma clareza que Jesus Cristo era *mais* que um mero homem. De fato, esse é um dos ensinos que separam o cristianismo das religiões do mundo. Os escritores do Novo Testamento enfatizam que Jesus de Nazaré era plenamente Deus. Enquanto Mateus e Lucas recontam a genealogia terrena de Jesus, o evangelho de João explica que a existência de Jesus não teve início em seu nascimento humano. Ele era eterno. Ele sempre existiu. João nos diz que ele existiu com Deus no início (antes da criação) e que ele era Deus (Jo 1.1-3). Isso significa que Jesus estava inteiramente envolvido no processo da criação (Jo 1.3) e que, antes de vir à terra, ele vivia num relacionamento perfeito com Deus Pai.[1]

Os outros evangelhos também testificam que Jesus era divino. Mateus e Lucas nos dizem que Jesus não foi concebido por um pai humano, mas pelo Espírito Santo. Mateus nos diz que Jesus acalmou uma tempestade (Mt 8.26), enquanto Marcos registra que Jesus perdoou pecados (Mc 2.5). Em Lucas, lemos sobre o conhecimento que Jesus tinha dos eventos futuros, incluindo o fim da história (Lc 21). Poderíamos seguir adiante com tais exemplos, mas o ponto é claro: Jesus é Deus em carne (Jo 1.14).

Jesus Cristo era muito mais que apenas um grande mestre ou profeta de Deus. Ele foi a única pessoa a viver em obediência impecável ao Pai. Era o único Filho de Deus, plenamente humano e plenamente divino. Essas verdades significam, entre outras coisas, que não podemos tratar Jesus de forma leviana. Nada é mais importante que a maneira como respondemos a ele.

O cumprimento do plano de Deus

Muitas pessoas ouviram os ensinamentos de Jesus, viram os milagres inexplicáveis e entenderam que ele era enviado de Deus. No entanto, a maioria dos chamados especialistas religiosos de Israel se opôs a ele. Os grupos religiosos em Israel (os saduceus, os fariseus, os escribas etc.) rejeitaram Jesus como Messias de forma enfática. Grande parte disso aconteceu porque, enquanto a popularidade de Jesus crescia, a deles declinava.

Os líderes judeus que rejeitaram Jesus não tinham olhos espirituais para enxergar quem ele realmente era. Mas, antes de criticarmos em demasia os líderes religiosos do primeiro século, lembremo-nos de que nosso pecado e ignorância muitas vezes nos impedem de reconhecer quem Jesus de fato é. Durante seu estudo, ore para que Jesus abra sua mente, de modo que você possa vê-lo como ele verdadeiramente é.

Jesus era claro ao identificar-se como aquele que cumpriria as promessas de Deus no Antigo Testamento. Em Lucas 24.44, ele disse: "Era necessário que se cumprisse tudo o que *a meu respeito* está escrito na Lei de Moisés, nos Profetas e nos Salmos". Você captou a mensagem? A Lei de Moisés, os Profetas e os Salmos (essas três categorias combinadas eram uma forma comum de referir-se ao Antigo Testamento) falam todos sobre Jesus. Ele estava dizendo que, quando os escritores do Antigo Testamento escreveram sobre o plano divino de redenção e da esperança que Deus estava prometendo a seu povo, *estavam na verdade escrevendo sobre ele!*

O Antigo Testamento está cheio de referências a Jesus, embora muitas delas sejam sutis. Quando Adão e Eva pecaram, Deus disse a Eva que Satanás ("a serpente") feriria o calcanhar do descendente dela, mas que esse descendente esmagaria a cabeça de Satanás. Essa promessa vinda das primeiras páginas da Bíblia encontra seu cumprimento em Jesus, que triunfou sobre Satanás na cruz (Cl 2.15; cf. tb. Rm 16.20). Quando fez sua promessa a Abraão, dizendo-lhe que todas as nações seriam abençoadas por meio dele e de sua descendência, Deus estava se referindo a Jesus e ao que ele realizaria (Gl 3.8). Quando Deus fez sua aliança com Moisés e Israel e lhes deu a lei, tudo acerca dessa lei seria finalmente cumprido em Jesus (Mt 5.17). Quando deu a Israel o tabernáculo e o templo como sua habitação terrena, Deus estava oferecendo uma ilustração de sua presença entre o povo que se tornaria uma realidade literal na pessoa de Jesus (Jo 1.14). Quando prometeu a Davi que seu trono seria estabelecido para sempre, Deus estava de fato apontando à frente para a vinda de Jesus (Fp 2.9-11; Ap 17.14).

À medida que lemos o Novo Testamento, é bom prestar atenção a todas as vezes que os escritores do Novo Testamento citam profecias do Antigo Testamento como forma de explicar o cumprimento do que estava acontecendo no nascimento, no ministério, na morte e na ressurreição de Jesus.

O reino de Deus

Há uma mensagem fundamental pregada por João Batista e Jesus: a chegada do reino de Deus.

No Antigo Testamento, havia a expectativa de que Deus estabeleceria seu reino no futuro. Esse propósito incluía a salvação e a bênção para seu povo, bem como a derrota dos inimigos de Israel. Tal expectativa deve ter acrescentado peso ao anúncio de Jesus no início de seu ministério: "O tempo é chegado", dizia ele. "O Reino de Deus está próximo. Arrependam-se e creiam nas boas novas!" (Mc 1.15).

Muitos judeus esperavam que o reino de Deus fosse estabelecido em algum momento, e Jesus afirmava que o momento havia chegado. O poder do Espírito na vida de Jesus provava que o domínio de Deus estava presente. A autoridade do reino de Deus foi claramente vista quando Jesus expulsou demônios, curou enfermos, governou sobre a natureza e até ressuscitou mortos (Jo 11.1-46). O ensino de Jesus também era sem precedentes, e aqueles que o ouviam muitas vezes ficavam perplexos com sua sabedoria. Entender esse contexto do reino deveria nos impedir de enxergar a vida e o ensino de Jesus somente como uma boa fonte de instrução moral. Ele não veio apenas para estabelecer uma vaga sensação de paz no mundo, mas para restabelecer o domínio de Deus sobre sua criação.

Embora o reino de Deus estivesse certamente presente em seu ministério, Jesus também falou de uma expressão mais plena do reino no futuro. Na Oração do Senhor (Mt 6.9-13), Jesus nos ensinou a orar pela vinda do reino de Deus e para que sua vontade fosse feita na terra. Um dia, num tempo conhecido somente por Deus, Jesus Cristo voltará para salvar seu povo e trará juízo àqueles que o rejeitaram. Essa é uma realidade triste se pensarmos naqueles que ainda não se submeteram a Jesus. Mas o reino de Deus está aberto a todos que desejam entrar, e Jesus nos envia como seus embaixadores para chamar o perdido à reconciliação com Deus (2Co 5.20). E, para os seguidores de Cristo, o reino vindouro de Deus é tudo pelo que estamos esperando! Os poderes sobre os quais Jesus dominou durante seu ministério nos evangelhos — Satanás, a enfermidade, a morte e a maldição que persegue a criação — serão finalmente vencidos para sempre. Os crentes desfrutarão da salvação em sua plenitude com Cristo, seu Rei.

A vida mediante a morte

Jesus é importante em inúmeros aspectos. Conforme lemos os evangelhos, ficamos impressionados com seu poder, compaixão, sabedoria etc. Mas, em última análise, era bastante difícil para os judeus crerem que esse homem era seu Messias prometido por uma questão muito significativa: ele foi executado como criminoso.

A história de Israel estava cheia de reis e juízes que venceram seus inimigos, e as profecias sobre o Messias apontavam para um rei vitorioso. Sendo assim, deve ter sido desconcertante quando Jesus começou a falar sobre sua morte. E eles não sabiam o que fazer a respeito desse pretenso Messias depois que ele morreu.

Em Marcos 8.31-33, Jesus disse a seus discípulos que sofreria muitas coisas e seria morto. (Ele também predisse sua ressurreição.) Pedro, incapaz de ver como tal sequência de eventos poderia caber na missão de Jesus, respondeu com uma repreensão a seu Mestre, sugerindo outro caminho. Um rei triunfante que morre na cruz? Quem já ouviu falar de algo assim? No entanto, todos os evangelhos descrevem a morte de Jesus como ponto central de sua missão, e Lucas passa quase dez capítulos tratando da jornada de Jesus a Jerusalém para morrer (Lc 9.51—19.27).

Antes de Jesus nascer, um anjo declarou que ele salvaria "o seu povo dos seus pecados" (Mt 1.21). João Batista se referiu a Jesus como "o Cordeiro de Deus, que tira o pecado do mundo" (Jo 1.29). O problema do pecado havia ameaçado o relacionamento da humanidade com Deus desde a desobediência de Adão e Eva no jardim. Para que o povo de Deus estivesse num relacionamento justo com ele, o pecado tinha de ser expiado. Todos os sacrifícios que o povo de Deus fez no Antigo Testamento apontavam para o sacrifício que Jesus ofereceria na cruz (Hb 9—10). Jesus era o verdadeiro Cordeiro pascal (1Co 5.7) — sacrificou a si mesmo para que pudéssemos viver.

Na última lição do Antigo Testamento, falamos sobre a promessa de uma nova aliança estabelecida pela a morte de Jesus. Ao discutirmos a morte de Jesus aqui, não podemos nos esquecer dessa conexão com a nova aliança. Quando Jesus celebrou a Páscoa com seus discípulos, ele segurou o cálice e disse: "Este cálice é a nova aliança no meu sangue, derramado em favor de vocês" (Lc 22.20). Com isso, Jesus cumpriu duas das principais promessas que percorrem todo o Antigo Testamento: 1) ele era o Rei que vem da linhagem de Davi (o Messias); e 2) por sua morte ele estabeleceu a nova aliança que curaria e recriaria seu povo.

É claro, a prova definitiva do poder da cruz é a ressurreição. Muitos afirmaram ser o Messias, mas somente Jesus ressuscitou dos mortos para provar isso. Afinal, um Rei vitorioso não pode permanecer enterrado na tumba. A ressurreição é crucial para nossa fé e para o cumprimento dos propósitos de salvação de Deus. Sem a ressurreição, não temos esperança alguma. Os evangelhos testificam que Jesus ressurgiu da tumba e apareceu a seus discípulos.

"Siga-me"

É fundamental que você entenda a história de Jesus, mas esse entendimento não é suficiente. Não basta apenas absorver a informação — é preciso responder a ela. A mensagem da morte e ressurreição de Jesus exige algo de nós. Jesus continua a chamar pessoas — ele chama você e a mim — para segui-lo e viver, mesmo que nos custe tudo. A morte e a ressurreição de Cristo devem nos dar confiança na salvação que ele oferece. Leia cuidadosamente a mensagem proclamada pelos primeiros seguidores de Jesus:

> Mas foi assim que Deus cumpriu o que tinha predito por todos os profetas, dizendo que o seu Cristo haveria de sofrer. Arrependam-se, pois, e voltem-se para Deus, para que os seus pecados sejam cancelados, para que venham tempos de descanso da parte do Senhor, e ele mande o Cristo, o qual lhes foi designado, Jesus. É necessário que ele permaneça no céu até que chegue o tempo em que Deus restaurará todas as coisas, como falou há muito tempo, por meio dos seus santos profetas.
>
> Atos 3.18-21

Questões práticas e desafiadoras

1. Leia Marcos 1 com calma e atenção. Durante a leitura, considere como deve ter sido ver Jesus dizer e fazer tais coisas. O que se destaca para você na leitura dessa descrição de Jesus?
2. Em nossa cultura, quais são algumas das respostas que as pessoas dão à pergunta de Jesus: "Quem vocês dizem que eu sou"? Por que essas respostas são inadequadas?
3. Por que é importante entender que Jesus era plenamente humano? De que modo essa realidade impacta a maneira como você pensa e fala acerca dele?
4. Por que é importante entender que Jesus era mais que um homem — que ele era, de fato, divino? De que modo essa realidade impacta o modo como você pensa e fala acerca dele?
5. Por que é importante reconhecer que Jesus estava cumprindo as promessas e profecias feitas no Antigo Testamento?
6. Com base no que você estudou na lição sobre o reino de Deus no Antigo Testamento, por que a proclamação de Jesus sobre o reino de Deus é importante?
7. De que modo o conceito do reino de Deus e da realidade de Jesus como rei transforma sua vida cotidiana hoje?
8. Leia atenciosamente Efésios 2.1-10 e Colossenses 2.13-15. Se você já conhece essas passagens, obrigue-se a lê-las devagar, como se nunca as tivesse lido. O que essas passagens dizem sobre a importância da morte e ressurreição de Jesus?
9. De acordo com essas passagens, como devemos nos relacionar com Jesus?
10. Passe algum tempo em oração. Ore para que Deus pegue as verdades nas quais você esteve pensando e as use para tocar seu coração. Peça a Deus que o ajude a responder a Jesus de

forma apropriada — quer você nunca tenha considerado o chamado de Jesus para segui-lo, quer venha andando com ele durante muitos anos.

Assista ao vídeo.

20

A Grande Comissão

A vida, a morte e a ressurreição de Jesus devem impactar cada dia de sua vida. Durante seu breve período na terra, Jesus desafiou os líderes religiosos e suas suposições sobre o que significava agradar a Deus. Ele nos mostrou como Deus pretende que a humanidade seja e derrubou todas as barreiras que nos impediam de ser as pessoas que Deus nos criou para ser. A missão de Jesus na terra foi presenciar o poder, o amor e a cura de Deus permear cada aspecto deste mundo adoecido e de nossa vida frágil. Ele veio para ver a vontade de Deus ser feita na terra como é no céu. Um dia, Jesus voltará para concluir essa tarefa, para fazer novas todas as coisas (Ap 21.5). Nesse meio-tempo, porém, ele nos deu uma missão a cumprir.

A missão da igreja

Em todos os aspectos, Jesus era aquele que o mundo esperava. Ele era a resposta para todas as esperanças de Israel e a personificação do plano divino de redenção. Nada poderia ser mais importante para este mundo que a missão de Jesus na terra. Quando os discípulos começaram a reconhecer que Jesus era verdadeiramente o Cristo, o Messias, eles devem ter percebido a importância do que Jesus estava fazendo. Imagine, então, quão surpresos e decepcionados ficaram quando Jesus morreu. E imagine o nível de empolgação quando ele ressurgiu da tumba! A missão de restauração estava em movimento outra vez. Jesus agora podia assumir o trono de Israel e governar o mundo em justiça e paz.

Mas não é assim que a história prossegue. Pelo menos, não de imediato. Em vez de resolver a história humana ali mesmo, Jesus deu a seus discípulos uma tarefa de suma importância:

> Então, Jesus aproximou-se deles e disse: "Foi-me dada toda a autoridade nos céus e na terra. Portanto, vão e façam discípulos de todas as nações, batizando-os em nome do Pai e do Filho e do Espírito Santo, ensinando-os a obedecer a tudo o que eu lhes ordenei. E eu estarei sempre com vocês, até o fim dos tempos".
>
> Mateus 28.18-20

O que exatamente a igreja deveria estar fazendo? A resposta é a mesma desde o dia em que Jesus pronunciou essas palavras. É claro, cada igreja terá suas particularidades, e a igreja em diferentes lugares e tempos teve algumas questões próprias com que precisou lidar. Mas a igreja tem uma missão. É a missão que caracterizou o ministério de Jesus na terra, e é a missão que ele deixou para a igreja quando retornou ao Pai.

Nossa missão neste planeta está explícita aqui na "Grande Comissão". Somos chamados a espalhar o domínio de Cristo sobre a terra fazendo discípulos. Nós partilhamos as boas-novas de um Rei que venceu a morte e que chama cada parte de sua criação a submeter-se a seu reinado benevolente. É para isso que Jesus ensinou seus seguidores a orar (Mt 6.10) e é para essa realidade que ele nos chama a trabalhar aqui na terra.

A autoridade de Jesus

Para compreender mais plenamente o que somos chamados a fazer aqui na terra, analisaremos agora a Grande Comissão. Quando transmitiu sua ordem a seus seguidores, Jesus começou com uma declaração muito importante: "Foi-me dada toda a autoridade nos céus e na terra". Aqui nós temos o alicerce para a Grande Comissão.

Servimos a um Rei que possui autoridade absoluta sobre cada centímetro da criação. Tal autoridade não se estende somente a animais, plantas, e padrões climáticos, mas também a todo ser humano no planeta. A compreensão desse fato deveria nos dar confiança à medida que avançamos num mundo que se opõe ao reino de Deus.

Uma vez que toda autoridade pertence a Jesus Cristo, temos a obrigação de obedecer à Grande Comissão. O mandamento é claro. Mas não se trata apenas de mera obediência. O Rei que nos manda fazer discípulos é o mesmo Rei que sacrificou a si mesmo para nos dar vida. É nosso *prazer* servir a esse Rei, e devemos nos submeter à vontade dele com alegria. Além disso, não deve bastar o nosso desfrute pessoal de um relacionamento sadio com o Rei; devemos querer que cada pessoa na terra prove dessa grandiosa salvação.

Uma missão global

Mesmo tendo entrado numa cultura específica numa parte específica do mundo, Jesus é mais que uma figura religiosa local. Ele é o Salvador dado por Deus para toda gente, independentemente de raça, nacionalidade ou qualquer outra distinção. E, uma vez que todos se rebelaram contra Deus (Rm 3.23), todos precisam da salvação oferecida por Jesus. Em razão disso, Jesus chama sua igreja a ir a todo canto do mundo com esta única esperança de cura e salvação: "Não há salvação em nenhum outro, pois, debaixo do céu não há nenhum outro nome dado aos homens pelo qual devamos ser salvos" (At 4.12).

Jesus primeiro deu a Grande Comissão aos discípulos primitivos. Eles levaram a tarefa a sério e espalharam o evangelho por boa parte do mundo conhecido, num intervalo de tempo relativamente curto. Contudo, a tarefa de levar o evangelho a todos os povos não terminou com eles. Essa missão de nível global pertence à igreja e deve caracterizar nossos esforços hoje.

Não há como negar que a tarefa de levar o evangelho às nações é gigantesca. Há muitas pessoas neste mundo, e uma grande porcentagem delas não tem sequer como ouvir falar do evangelho.

E não se esqueça de seus familiares, amigos e colegas de trabalho que rejeitam as afirmações de Cristo. Felizmente, não estamos sozinhos nessa tarefa sobrenatural. Fazer discípulos é, em última análise, obra de Deus, e ele a realizará em seu poder. Mas o compromisso de Deus para com seu plano de redenção não nos exime de nossa responsabilidade de obedecer às suas ordens. Deus *vai* alcançar cada canto deste mundo e escolheu realizar essa tarefa por intermédio de sua igreja.

O chamado para fazer discípulos

Com a Grande Comissão, nós voltamos para onde começamos na Parte 1. Tudo se resume a fazer discípulos. Mas agora podemos ver que o ato de fazer discípulos está enraizado no plano divino de redenção. Isso é fundamental para a afeição de Deus por seu povo, por seu mundo.

Como dissemos, o discípulo é simplesmente um seguidor de Jesus. Se acreditamos que Jesus é quem diz ser e fazemos o que ele nos ordena fazer, então somos discípulos. Assim, o processo de fazer discípulos equivale a falar às pessoas sobre Jesus e chamá-las a segui-lo. O discipulado é um processo ao longo da vida no qual ficamos cada vez mais parecidos com Jesus.

Jesus disse que, ao fazermos discípulos de todas as nações, devemos batizá-los em nome do Pai, do Filho e do Espírito Santo e ensiná-los a obedecer a tudo o que ele ordenou (Mt 28.19-20). O primeiro passo para aqueles que escolhem seguir Cristo e foram transformados por seu Espírito, portanto, consiste em identificar-se com Cristo por meio do batismo. Assim como Jesus foi sepultado e depois erguido numa nova vida, também o novo cristão é "sepultado" sob as águas do batismo e levantado como símbolo da nova vida que recebeu. O batismo também inicia o novo crente na igreja de Cristo, onde ele se torna um membro do corpo local de crentes. Esse passo inicial é inegociável. É uma ordem de Jesus Cristo, e devemos considerar como privilégio nossa identificação com Jesus e seu povo pelo batismo. Quem poderia depositar sua confiança num Salvador tão gracioso e não querer se identificar com ele?

Uma consequência da ordem de Jesus de ensinar outros a obedecer a tudo o que ele ordenou é o próprio Novo Testamento. Os evangelhos e as cartas foram escritos para cristãos em diversas igrejas com o intuito de lhes dizer mais claramente quem Jesus era e transmitir instruções contínuas sobre a vida como seguidores de Cristo num mundo hostil. A salvação não é como receber um bilhete de trem que nos permite a entrada no céu e depois pode ser guardado no bolso, para que nos esqueçamos dele. Pelo contrário, é como um casamento: entramos num relacionamento com Jesus Cristo e nos tornamos parte de sua família, a igreja. A vida cristã é o processo de entender melhor o que Jesus ensinou, aprendendo a aplicar esse ensinamento à nossa vida diária, e depois ensinar outros — pessoas ao nosso redor e pessoas do outro lado do globo — a fazer o mesmo.

A presença contínua de Jesus

Se a Grande Comissão parece impossível para você, é porque ela é de fato impossível. A tarefa de fazer discípulos de todas as nações na face da terra já seria, por si só, assustadora; mas, para piorar, nós também enfrentamos severa oposição. Satanás, o mundo e nossos desejos pecaminosos lutam contra nosso crescimento na vida cristã e no avanço do evangelho. Paulo nos alertou de que, se quisermos viver de acordo com essa missão, enfrentaremos perseguição: "De fato, todos os que desejam viver piedosamente em Cristo Jesus serão perseguidos" (2Tm 3.12). Neste exato momento, cristãos ao redor do mundo estão sendo perseguidos, agredidos e até mesmo mortos por se identificarem com Jesus Cristo. Estamos enganados se pensamos que nossa mensagem sempre será recebida calorosamente.

Mas, embora a oposição seja real e intimidadora, as palavras finais de Jesus na Grande Comissão nos deveriam dar coragem: "E eu estarei sempre com vocês, até o fim dos tempos". A própria presença de Jesus nos é prometida, de modo que não precisamos temer. Imagine quão destemido você seria se pudesse ver o Filho de Deus em pessoa ao seu lado. Ele promete estar conosco. Lembre-se de que o plano de Deus nunca vacilou, e nossa vitória definitiva está assegurada.

O poder do Espírito Santo

Depois de dizer a seus discípulos que eles seriam suas testemunhas para o mundo inteiro, a instrução seguinte de Jesus deve ter sido surpreendente: "Esperem". Para muitos de nós, isso não parece um grande conselho. Afinal, há uma enorme quantidade de humanos por aí necessitando do evangelho. Não precisamos sair correndo pelo mundo afora?

A Grande Comissão nunca será realizada pelo esforço humano ou pelo planejamento inteligente, ainda que ambos sejam cruciais para a tarefa. Nós precisamos do poder de Deus para levar o evangelho a cada parte do globo. Somente o poder de Deus pode transformar rebeldes em discípulos. É precisamente por isso que Jesus mandou seus discípulos esperarem (At 1.4). Antes de saírem para a Judeia, Samaria e os confins da terra, os discípulos tinham de ser capacitados pelo Espírito Santo para essa tarefa sobrenatural.

Concluído e não concluído

Ao refletirmos sobre a missão de Deus aqui na terra, é importante reconhecer o que foi concluído e o que ainda não está concluído. O Novo Testamento afirma com bastante clareza que a obra de salvação está completa. "Mas quando este sacerdote [Jesus] acabou de oferecer, para sempre, um único sacrifício pelos pecados, assentou-se à direita de Deus" (Hb 10.12). Em outras palavras, Jesus fez o que precisava ser feito para reconciliar a humanidade com Deus; depois, ele se assentou porque tudo estava concluído. Isso significa que nossa mensagem é simples e direta: "Creia no Senhor Jesus, e serão salvos, você e os de sua casa" (At 16.31).

Contudo, ainda temos trabalho a fazer. O que permanece inacabada é a tarefa de levar essa mensagem aos confins da terra. Deus nos chama para sermos seus colaboradores (1Co 3.9) e embaixadores (2Co 5). Devemos levar as boas-novas da obra divina em Jesus Cristo até as extremidades da terra e trabalhar para ver seu governo plenamente estabelecido em cada canto do mundo. Isso significa alcançar nossos vizinhos da casa ao lado e as massas da Ásia Oriental. Esse é o nosso chamado na vida. E, por fim, esse é o lugar no qual o plano divino de redenção vem se movendo desde o início.

Se a ordem para fazer discípulos e ministrar de forma sacrificial ao povo de Deus parece gigantesca, recorde as palavras tranquilizadoras de Jesus na Grande Comissão: "Foi-me dada toda a autoridade nos céus e na terra [...] e eu estarei sempre com vocês, até o fim dos tempos". Pelo poder do Espírito Santo, a igreja pode cumprir sua missão. Na verdade, Jesus a assegurou de que *vai* cumprir sua missão. "Edificarei a minha igreja, e as portas do Hades não poderão vencê-la" (Mt 16.18). Deus escolheu cumprir seus propósitos na terra por intermédio de sua igreja e ele não tem um plano B. Deus nos usará como igreja para alcançar o mundo com a esperança e a cura encontradas em Jesus Cristo.

Questões práticas e desafiadoras

1. Leia Lucas 24 e Atos 1.1-11. Durante a leitura, coloque-se na cena e tente captar o significado desses eventos. De que modo as circunstâncias que envolvem a Grande Comissão acrescentam importância às palavras de Jesus?
2. Podemos acabar tão envolvidos em nosso relacionamento pessoal com Deus a ponto de nos esquecermos de pensar nas implicações globais da Grande Comissão. Por que é importante enxergar a missão da igreja como um chamado global?
3. Em sua opinião, por que Jesus nos deu a estratégia de fazer discípulos como meio de realizar nossa missão na terra?

4. Reserve um minuto para analisar o significado do batismo. Escreva a seguir algumas reflexões a respeito. Se você é batizado, inclua alguns comentários sobre sua experiência pessoal com o batismo.
5. Que papel o ensino deve exercer em nossa vida cristã e na vida da igreja?
6. É muito provável que você já creia que a presença de Deus está com você quando busca honrá-lo neste mundo. Mas dedique algum tempo para meditar neste simples fato: "Eu estarei sempre com vocês". De que modo essa declaração impacta sua vida diária e seu modo de enxergar sua missão designada por Deus?
7. Você já tentou seguir Jesus sem o poder do Espírito Santo? Por que essa tentativa está fadada a terminar em frustração?
8. Considerando a situação em que você vive hoje, como seria realizar a Grande Comissão pelo poder do Espírito?
9. Leia Apocalipse 7.9-12. Essa passagem nos oferece uma visão do fim da história. Esta vida terminará com uma comunidade enorme de pessoas redimidas de todas as nações, tribos, povos e línguas juntas louvando a Deus pela salvação. De que modo essa visão impacta nossa maneira de pensar sobre nossa missão hoje?
10. Passe algum tempo em oração. Peça a Deus que toque seu coração com a urgência da missão que ele deu a você e a outros cristãos em sua vida. Peça-lhe por força, sabedoria e perseverança para buscar sua missão no poder do Espírito.

Assista ao vídeo.

21

O Espírito de Deus

Você anseia desesperadamente para receber o poder do Espírito Santo hoje? Se a resposta é "não", talvez haja uma má compreensão de quem você é ou de quem o Espírito Santo é. Cada aspecto de nossa salvação depende dele. Sem o Espírito, não podemos conhecer Deus, entender as Escrituras, vencer o pecado nem transformar as pessoas à nossa volta. Somos espiritualmente impotentes sem o Espírito; por isso, é vital ter uma compreensão correta de quem ele é e do que ele faz.

Nossa necessidade do Espírito de Deus remonta ao início de tudo. Adão e Eva se rebelaram contra Deus no jardim, e a humanidade tem sido rebelde desde então. A história de Israel é um poderoso lembrete de que sem o Espírito os seres humanos não são capazes de seguir Deus fielmente. Deus identificou o problema de Israel em Ezequiel 36: eles tinham um coração de pedra. Estavam espiritualmente mortos. Precisavam de um novo coração e um novo espírito. E a solução de Deus para esse problema implicava nada menos que a transformação completa de seu povo:

> Aspergirei água pura sobre vocês e ficarão puros; eu os purificarei de todas as suas impurezas e de todos os seus ídolos. Darei a vocês um coração novo e porei um espírito novo em vocês; tirarei de vocês o coração de pedra e lhes darei um coração de carne. Porei o meu Espírito em vocês e os levarei a agirem segundo os meus decretos e a obedecerem fielmente às minhas leis.
>
> Ezequiel 36.25-27

O povo de Deus precisava do Espírito de Deus. Precisava ser mudado de dentro para fora e ser capacitado pela própria presença divina. Isso talvez soasse improvável para os israelitas. Afinal, eles ficaram atemorizados no pé do Sinai quando Deus falou com Moisés no topo do monte. Prostraram-se com o rosto no chão quando a glória de Deus encheu o templo. Tiveram de ser extremamente cautelosos com a presença de Deus que habitava o tabernáculo e o templo. Como poderia esse Deus onipotente habitar dentro de seres humanos frágeis e maculados?

Contudo, é exatamente esse milagre que encontramos no Novo Testamento. É a solução para a rebeldia da humanidade, o ponto culminante do plano divino de redenção.

Quando falou aos discípulos sobre a vinda do Espírito, Jesus não estava afirmando que o Espírito ainda não existia, ou que estava inativo no mundo até então. Ele estava ativo na criação e na obra redentora de Deus no Antigo Testamento. No entanto, o Antigo Testamento apontava para um tempo em que o Espírito de Deus agiria na humanidade de forma inédita e poderosa.

Quem é o Espírito Santo?

Devemos ter cuidado ao discutirmos um assunto tão sagrado como o Espírito Santo. O mais importante é reconhecer que ele é Deus. Assim como Jesus é uma pessoa distinta, mas também plenamente divina, o Espírito Santo é igualmente único e plenamente Deus.[1] Esse é o mistério ao qual nos referimos como a Trindade, que toma por base o fato de que a Bíblia fala sobre o Pai, o Filho e o Espírito Santo como pessoas distintas, mas também identifica claramente cada uma dessas três pessoas como Deus.

Isso acarreta importantes implicações para nossa forma de pensar no Espírito Santo. Ele é mais que um guru místico ou um gênio — ele é Deus e é digno da obediência e do amor dispensados a Deus. Isso também nos diz que ele é uma pessoa, e não uma força impessoal; portanto, não se deve se referir a ele como "algo". O Espírito Santo é "ele", uma pessoa com a capacidade de agir, desejar e até se entristecer (Ef 4.30). Essas breves reflexões devem transformar nossa maneira de pensar sobre o Espírito de Deus.

O Espírito no Novo Testamento

As ações do Espírito Santo enchem as páginas do Novo Testamento. Desde o início nós vemos que João Batista e Jesus estavam cheios do Espírito conforme cresciam e cumpriam seus ministérios (Lc 1.15; 4.1). Os evangelhos estão repletos de lembretes de que o ministério de Jesus era capacitado pelo Espírito de Deus. Os incríveis acontecimentos que ocorrem no Novo Testamento são o resultado direto da ação do Espírito Santo.

Em Atos 2, o Espírito aparece espetacularmente para os discípulos e os capacita de uma forma sem precedentes. Isso aconteceu num momento crucial. Jesus retornou dos mortos, deu aos discípulos uma tarefa impossível na Grande Comissão e depois subiu para o céu. Os discípulos haviam sido comissionados, mas Jesus lhes disse que esperassem até receberem o poder do alto. De repente, o Espírito desceu sobre os discípulos, e eles começaram a "falar noutras línguas, conforme o Espírito os capacitava" (v. 4). Pedro afirmou que esse derramamento do Espírito havia sido prometido no Antigo Testamento. O povo de Deus vinha esperando a capacitação do Espírito, e aquele dia havia muito aguardado tinha chegado. Agora, o Espírito de Deus agia na humanidade — não só sobre os líderes de Israel, mas sobre todo o povo de Deus.

O Espírito de Deus e a Palavra de Deus

O Espírito Santo não é responsável somente pelos eventos milagrosos do Novo Testamento, mas também pela escrita da própria Bíblia! Jesus disse aos discípulos que o Espírito os lembraria daquilo que ele os estava ensinando (Jo 14.26). Essas são as coisas que os discípulos e seus associados próximos registraram no Novo Testamento. Da mesma forma, 2Pedro 1.21 diz que as Escrituras não são uma invenção humana, mas o resultado da obra do Espírito mediante os autores da Bíblia. Cada detalhe do texto das

Escrituras, mesmo os recursos gramaticais aparentemente banais,[2] é inspirado por Deus e, portanto, possui autoridade. Embora seja verdade que Deus usou a personalidade e outras características dos autores humanos para registrar as Escrituras, mesmo essas palavras humanas são referidas como discurso do Espírito (Hb 3.7).

O ministério do Espírito

Quando Jesus estava ministrando na terra, não havia dúvida de que ele trabalhava para o cumprimento do plano divino de redenção. Poderíamos esperar que Jesus continuasse a ministrar, reunindo cada vez mais seguidores e enfim completando a redenção pela qual o mundo estava ansiando. Mas justamente quando parecia que a redenção era uma possibilidade, Jesus partiu. Teria o plano de Deus sido interrompido?

É claro que não. A partida de Jesus naquele momento fazia parte do plano divino. Jesus deve ter chocado os discípulos quando disse que seria *melhor* que ele partisse do que ficasse! Como isso seria possível? Como a missão de Deus na terra procederia de forma mais eficaz sem Jesus? A resposta é encontrada no Espírito Santo. Jesus disse: "Mas eu lhes afirmo que é para o bem de vocês que eu vou. Se eu não for, o Conselheiro não virá para vocês; mas se eu for, eu o enviarei" (Jo 16.7).

Jesus nos enviou seu Espírito ("o Conselheiro") para que cumpríssemos os propósitos de Deus na terra. O Espírito habita dentro de seu povo — assim como Deus habitava no tabernáculo e no templo no Antigo Testamento — de modo que pudesse trabalhar por meio de nós. Essa habitação do Espírito não é uma dádiva especial para alguns cristãos, mas, sim, uma dádiva de Deus para *todos* de seu povo. Paulo disse com bastante clareza: "E, se alguém não tem o Espírito de Cristo, não pertence a Cristo" (Rm 8.9).

O Espírito é absolutamente essencial para o cumprimento da missão que nos foi dada. A menos que ele nos capacite a seguir Jesus fielmente, seguiremos as pegadas dos desobedientes israelitas. Tão grande é nossa necessidade do Espírito que somos ordenados a viver por ele (Gl 5.16), a ser cheios dele (Ef 5.18), a orar nele (Jd 20) e a fazer morrer os atos do corpo por causa dele (Rm 8.13) etc. O Espírito assegura nossa fidelidade até o fim. Mesmo a segurança de que somos filhos de Deus vem do testemunho do Espírito (Rm 8.16). Em Romanos 7 e 8, Paulo contrasta a vida que é vivida na carne (isto é, sem o Espírito de Deus) com a vida que é vivida no Espírito. A diferença é gritante.

O Espírito na missão de Deus

O plano divino de redenção continua, e Deus está usando o Espírito na vida de seu povo para fazer essa obra. A missão da igreja é difícil demais para ser realizada sem confiança no Espírito. A missão é muito importante para nos aventurarmos sem o poder dele. Simplesmente não podemos cumprir a Grande Comissão sem buscar o Espírito e sem depender dele.

Mas precisamos ter cuidado para que nossa busca pelo Espírito nos leve a Jesus, e não para longe dele. João disse que o alvo do Espírito é glorificar Jesus (Jo 16.14). Como um holofote, o Espírito focaliza a atenção em Cristo e em sua salvação. Portanto, não devemos separar a obra do Espírito da de Jesus (nem do Deus Pai). Se não formos guiados a amar Jesus e a confiar mais nele, é provável que estejamos fora de sintonia com o Espírito.

O Espírito pode fazer coisas inacreditáveis em nós e por meio de nós. Os milagres registrados no Novo Testamento muitas vezes nos inspiram a buscar experiências similares hoje. Mas tenha em mente que é o Espírito a quem estamos buscando, e não uma experiência sobrenatural específica. Ao buscar viver pelo poder do Espírito, olhe para as promessas da Palavra de Deus. Confie no Espírito para mostrar poder conforme ele desejar. Com maior frequência, o Espírito Santo nos guia transformando quem somos. Ele nos dá novos desejos para que gradualmente comecemos a viver com o objetivo de glorificar Deus em todas as nossas decisões. Embora isso não pareça tão espetacular como a cura do doente ou a previsão do futuro, é tão milagroso quanto.

O Espírito de Deus na igreja

Para experimentar tudo o que o Espírito oferece, você precisa estar em comunhão íntima com outros cristãos. Deus nos designou para atuarmos numa comunidade de crentes, cada qual com seus próprios dons espirituais. Negligenciar sua igreja local é isolar-se de um dos mais poderosos ministérios do Espírito.

Todos os cristãos precisam dos dons espirituais de outros cristãos. Precisamos de ensino, liderança, encorajamento, misericórdia e até de amor confrontador, só para nomear alguns dons. Por outro lado, considere como o Espírito dotou você. De que modo você deveria ministrar a seus irmãos e irmãs em Cristo?

O Espírito funciona não apenas por intermédio de indivíduos, mas por meio da igreja como um todo. A vida cotidiana da igreja — manifestada em práticas como encorajamento, oração e comunhão — pode soar bastante "comum", mas não há nada de comum acerca do povo de Deus. Ele é uma comunidade cheia do Espírito; é o templo santo de Deus. Nós já vimos que o Espírito habita dentro de cada cristão, assim como habitou dentro do templo do Antigo Testamento. Por mais importante que seja essa verdade, Paulo nos diz também que a igreja é edificada *em unidade* num templo para o Espírito Santo (Ef 2.19-22). Isto é, o Espírito não somente habita dentro de cada um de nós; ele também habita em nosso meio coletivo. Tão fundamental é a igreja para a missão de Deus na terra que ele habita entre nós a fim de nos capacitar para o trabalho ao qual nos chamou.

Questões práticas e desafiadoras

1. Reserve um minuto para analisar o significado da promessa do Espírito Santo em Ezequiel 36.25-27. Explique por que essa promessa é tão importante na história da redenção.
2. De que modo ver o Espírito como uma pessoa e como o próprio Deus altera seu modo de relacionar-se com ele?

3. Leia Atos 2 cuidadosamente. Durante a leitura, preste atenção a duas coisas: 1) referências a verdades e promessas do Antigo Testamento; e 2) referências ao Espírito Santo. Que referências há no sermão de Pedro a alguns dos conceitos-chave que você estudou nas lições do Antigo Testamento?
4. O que essa passagem diz sobre o Espírito? De que modo ele agiu nesse momento vital na história da redenção?
5. Leia Romanos 7 e 8. O que a comparação de Paulo dessas duas formas de viver diz acerca do papel do Espírito e de nossa necessidade dele?
6. Como você tem visto o Espírito de Deus agindo na vida de sua igreja? Se você está com problemas para identificar a obra do Espírito, por que, a seu ver, ela não está sendo claramente manifestada em sua igreja?
7. Como você vem trabalhando em parceria com outros membros do corpo de Cristo para ser usado pelo Espírito no cumprimento da missão de Deus na terra?
8. Passe algum tempo em oração. Agradeça a Deus pelo incrível dom do Espírito Santo. Ore para que você seja capacitado a buscar o poder do Espírito em sua vida e nele confiar. Ore pedindo que Deus aja por meio da vida de sua igreja para trazer cura, esperança e transformação ao mundo à sua volta.

Assista ao vídeo.

22

A igreja primitiva

Em algum momento, tornou-se popular buscar Jesus ao mesmo tempo que se despreza a religião organizada. Ouvimos falar até de pessoas que "amam Jesus, mas odeiam a igreja". Embora seja inegável que a igreja tenha sua parcela de problemas, Jesus nunca nos deu a opção de desistir dela. E ele certamente não aprovaria nosso "ódio" pela igreja. Ela foi ideia dele, por isso é impossível segui-lo e desprezar a igreja por cuja salvação ele morreu.

A realidade é que Deus está usando sua igreja ao redor do mundo para transformar vidas e realizar sua vontade na terra. Hoje, em muitos aspectos e lugares, a igreja é saudável e focada no cumprimento da missão de Deus. Mas também é verdade que boa parte da igreja anda em estado de desordem. As igrejas definem a si mesmas acerca de praticamente toda questão debaixo do sol. Os cristãos são mais conhecidos por seus adesivos de carros e camisetas do que pelo amor de Cristo. A fofoca e a hipocrisia correm soltas. Muitas igrejas estão mais preocupadas com a preservação do *status quo* que com buscar as pessoas em torno delas.

Com tão vasta gama de sentimentos sobre a igreja, temos de fazer algumas perguntas importantes: o que é a igreja? Como a igreja deveria ser? O que a igreja deveria estar fazendo? Se não pudermos responder a essas perguntas biblicamente, então só contribuiremos para a confusão. Se a igreja não entende sua identidade e seu papel no mundo, então ela está fadada a ser confusa, estagnada e ineficaz.

Quando Jesus subiu para o Pai, deixou um grupo em seu lugar para executar sua missão: a igreja. Se não fizermos tudo ao nosso alcance para entender quem somos e o que devemos fazer como igreja, então não estamos levando a missão de Jesus a sério. Por escolha do próprio Deus, a continuação de seu plano de redenção agora repousa sobre a igreja.

A igreja primitiva

Muito se pode dizer sobre a igreja. Pedro disse que ela é "geração eleita, sacerdócio real, nação santa, povo exclusivo de Deus" (1Pe 2.9). Paulo a chamou de "coluna e fundamento da verdade" (1Tm 3.15), templo do Espírito Santo (Ef 2.19-22), corpo de Cristo (1Co 12) e noiva de Cristo (Ef 5.22-23). Cada uma dessas descrições deveria ser explorada e discutida em profundidade. Neste capítulo, porém, avaliaremos a identidade da igreja examinando sua fundação, em Atos 2.

No início do livro de Atos, havia cerca de 120 pessoas que seguiam Cristo. Os doze apóstolos[1] formavam o núcleo desse grupo. Então chegou o dia do Pentecoste. Pedro se levantou e proclamou que Deus havia ressuscitado Jesus dos mortos, o mesmo Jesus que as multidões exigiram ver crucificado. A proclamação de Pedro, capacitada pelo Espírito, causou grande convicção, e cerca de três mil pessoas se arrependeram de seus pecados e depositaram sua confiança no Senhor Jesus Cristo. Com essa incrível demonstração do poder do Espírito, nasceu a igreja.

Havia algo muito atraente e intrigante acerca desse primeiro grupo de crentes. Não apenas o nascimento desse grupo era milagroso, mas também o modo como começou a viver junto e a interagir era algo que o mundo nunca tinha visto. Atos 2.42-47 descreve a vida na igreja primitiva. Dedique um minuto para refletir na forma como esse grupo é descrito.

A igreja primitiva chamava a atenção por diversas razões. Por exemplo, Lucas nos diz que "eles se dedicavam ao ensino dos apóstolos" (At 2.42). Tinham um profundo comprometimento para com aquilo que os apóstolos ensinavam. O ensino dos apóstolos enfatizava tudo que aconteceu em Cristo e o significado de tais eventos. Em outras palavras, os apóstolos eram dedicados ao evangelho. O ensino era o cumprimento do que havia sido profetizado no Antigo Testamento, e esse ensino seria adiante registrado sob a inspiração do Espírito Santo para compor o Novo Testamento. Portanto, o Novo Testamento que seguramos em nossas mãos é o "ensino dos apóstolos" — as mesmas verdades às quais a igreja primitiva se dedicava. A Palavra de Deus sempre foi essencial para a vida da igreja.

Lucas, o autor de Atos, também disse que a igreja primitiva era dedicada à comunhão. A palavra *comunhão* às vezes assume conotações estranhas na igreja de hoje. Se ela lhe soa piegas, simplória ou antiquada, você tem uma ideia errada sobre comunhão. Os primeiros cristãos compartilhavam sua vida. Não se tratava de piqueniques nem de almoços no "salão de comunhão" da igreja. Eram pessoas reais atendendo necessidades reais e se juntando para cumprir uma missão real. Não eram pessoas se reunindo por acharem que tinham de fazer isso. Partilhavam sua vida porque em Cristo tinham tudo em comum. Amavam uns aos outros de verdade. Importavam-se profundamente com Deus e sua missão na terra. Por isso, uniam-se com outros cristãos e trabalhavam juntos visando o alvo.

Somos chamados a fazer o mesmo. De fato, Deus nos diz que a comunhão é ainda mais importante para nós *agora*, uma vez que seu regresso está chegando: "E consideremos uns aos outros para nos incentivarmos ao amor e às boas obras. Não deixemos de reunir-nos como igreja, segundo o costume de alguns, mas procuremos encorajar-nos uns aos outros, *ainda mais quando vocês veem que se aproxima o Dia*" (Hb 10.24-25). Nossa comunhão nunca foi tão importante quanto agora.

A menção ao "partir do pão" pode ser uma referência à ceia do Senhor (comunhão) na igreja, como corpo de crentes, ou à partilha de refeições em conjunto. Provavelmente se refere a ambos. Os cristãos primitivos costumavam tomar a ceia do Senhor como parte da refeição compartilhada. A ceia do Senhor e a prática de alimentação conjunta da igreja primitiva serviam como expressões de sua fé comum em Jesus Cristo. Paulo aponta para a noite em que Jesus observou a Páscoa com seus discípulos e transformou o ritual naquilo que conhecemos como a ceia do Senhor. O pão se tornou uma lembrança de seu corpo partido, e o vinho, de seu sangue derramado. Essa celebração é um lembrete da nova aliança que Jesus fez com seu povo, a igreja. Paulo destacou a importância desse ritual: "Porque, sempre que comerem deste pão e beberem deste cálice, vocês anunciam a morte do Senhor até que ele venha" (1Co 11.26). Na comunhão, proclamamos que o sacrifício de Jesus é fundamental para nossa missão e nossa vida conjunta como igreja.

Lucas também nos diz que a igreja primitiva se dedicava à oração. Dizer que a oração era importante para esses primeiros cristãos seria um eufemismo grosseiro. Logo depois de serem soltos da prisão em Atos 4, Pedro e João se reuniram com a igreja para orar por mais coragem e para que o Senhor operasse sinais e maravilhas. A oração era o meio de a igreja receber força e orientação do Senhor. Eles dependiam da comunhão íntima com aquele em quem haviam depositado sua confiança.

Infelizmente, nossas igrejas não costumam ser caracterizadas pela devoção à oração. Será que perdemos de vista nossa dependência total de Deus? Perdemos a urgência de nossa missão e o senso de que, se Deus não agir em nós, não seremos capazes de fazer o que fomos chamados a fazer? A oração é exatamente esse tipo de declaração. Uma igreja que se dedica à oração é uma igreja ciente de que a missão de Deus é o propósito mais importante na terra. É uma igreja que sabe que não terá sucesso sem Deus. Que esse tipo de dedicação à oração defina a postura de nossas igrejas!

Mais que indivíduos

A igreja primitiva era composta daqueles que abraçaram o evangelho. O Espírito de Deus fora derramado sobre eles e seus pecados foram perdoados. Essas pessoas foram salvas de uma "geração corrompida" (At 2.40). É exatamente o que a igreja tem sido em todas as eras. A igreja é constituída daqueles que foram chamados de suas trevas espirituais e responderam às boas-novas de que Jesus Cristo morreu para remover a separação do pecado e ressuscitou dos mortos para demonstrar que ele é o verdadeiro Rei do mundo. Em cada geração, Deus toma aqueles a quem está redimindo e os une na igreja.

O individualismo é amplamente celebrado em nossa cultura. Gostamos de pensar em nós mesmos como autossuficientes e independentes, capazes de "agir por conta própria". Infelizmente, muitos cristãos adotaram essa mentalidade individualista. Ninguém vai nos dizer como gastar nosso tempo ou dinheiro nem nos dizer no que devemos pensar. Soa familiar? Se for o caso, precisamos olhar com bastante atenção para a vida em comunhão da igreja primitiva.

Preste atenção ao que os primeiros cristãos convertidos em Atos 2 *não* fizeram. Eles não fizeram uma profissão de fé para depois buscarem viver a vida cristã por conta própria. Não, aqueles primeiros convertidos foram batizados como sinal de que se identificavam com Jesus Cristo e sua igreja. Na verdade, identificar-se com Jesus Cristo é identificar-se com a igreja, a noiva amada. O próprio Jesus disse: "Com isso todos saberão que vocês são meus discípulos, se vocês se amarem uns aos outros" (Jo 13.35). Um aspecto crucial de submeter-se a Jesus é comprometer-se com o ministério de sua igreja. Não somos mais indivíduos isolados, mas membros do corpo de Cristo.

O que estamos perdendo?

A leitura do livro de Atos pode ser quase desanimadora porque nos força a reconhecer as deficiências em nossas igrejas. Por um lado, isso é saudável. Devemos ser desafiados pela vitalidade da igreja primitiva. Por outro lado, precisamos ter cuidado para não apenas imitar o que vemos em Atos. Deus deu à igreja uma missão que funcionou de maneira específica na vida dos cristãos primitivos. Nós temos a mesma missão, mas Deus pode querer realizar algo singular em nossas igrejas. Em vez de tentar reproduzir as línguas de fogo, o sermão poderoso e a conversão em massa que vemos em Atos 2, devemos buscar Deus para cumprir seus propósitos por meio de nossas igrejas de todas as maneiras que ele achar adequado. Leia a seguinte descrição da vida na igreja primitiva e depois dedique algum tempo para considerar como algumas das características dessa igreja poderiam ser aproveitadas em seu contexto particular.

Uma comunidade generosa

Os membros da igreja primitiva tinham tamanha preocupação por seus irmãos e irmãs em Cristo que estavam dispostos a vender suas posses para atender uma necessidade física, por exemplo. As Escrituras dizem que eles "tinham tudo em comum" (At 2.44; cf. 4.32). Em outras palavras, esses cristãos doavam voluntariamente o que tinham para o bem-estar de seus irmãos em Cristo. Da mesma forma, Paulo descreve uma ocasião em que as igrejas da Macedônia doaram com alegria, mesmo em meio a "extrema pobreza" (2Co 8.2). Disse ainda: "Pois dou testemunho de que eles deram tudo quanto podiam, e até além do que podiam. Por iniciativa própria eles nos suplicaram insistentemente o privilégio de participar da assistência aos santos" (v. 3-4). Tamanha generosidade é fruto do coração transformado.

Uma comunidade santa

A igreja primitiva era uma comunidade separada para os propósitos de Deus. Até mesmo o mundo exterior percebeu o que estava acontecendo. Lucas diz que "todos estavam cheios de temor" (At 2.43). Esse grupo de cristãos era perceptivelmente diferente do resto do mundo. A obediência e a presença de Deus no meio deles fizeram que se destacassem, de modo que obtiveram o favor dos incrédulos ao redor (2.47).

Uma comunidade destemida

Nem todo mundo estava feliz com a obra do Espírito Santo na igreja primitiva. O sofrimento era parte bastante real na vida cristã do primeiro século, e isso permanece verdadeiro hoje. Com frequência cristãos ao redor do mundo são ameaçados fisicamente por confessar Jesus Cristo, enquanto a intolerância com a mensagem do evangelho continua a crescer em nossa cultura. Paulo prometeu: "De fato, todos os que desejam viver piedosamente em Cristo Jesus serão perseguidos" (2Tm 3.12). A igreja primitiva proclamava com coragem a verdade do evangelho e sem medo alcançava o mundo ao seu redor. Em razão disso, muitas vezes enfrentaram perseguição e até o martírio.

Uma comunidade multiplicadora

É inegável que o crescimento da igreja primitiva tenha sido admirável. O que começou como um pequeno bando de discípulos inexperientes se multiplicou de forma sobrenatural num grande movimento composto de cristãos em Jerusalém, na Judeia, em Samaria e, por fim, até nos confins da terra (At 1.8). As igrejas eram plantadas à medida que os apóstolos e outros crentes levavam o evangelho para todo o mundo conhecido. Tudo isso era claramente a obra do Senhor: "*E o Senhor lhes acrescentava* diariamente os que iam sendo salvos" (At 2.47).

Numa reviravolta providencial, muitas vezes a perseguição na igreja resultou em seu próprio crescimento. Ao serem dispersos, os cristãos levavam o evangelho consigo (At 8.1). Em vez de se retirarem em silêncio, oravam por coragem quando ficavam sob o escrutínio das autoridades (At 4.23-31). Somos lembrados de que o plano do Senhor para o crescimento de sua igreja virou a sabedoria do mundo de ponta-cabeça.

A igreja no mundo moderno

Leia praticamente qualquer carta do Novo Testamento e logo verá que as primeiras igrejas cristãs estavam longe da perfeição. Tanto que muitas dessas cartas foram escritas para tratar de pecados específicos ou falsos ensinos. Por exemplo, os cristãos gálatas corriam o risco de distorcer o evangelho (Gl 1.6), enquanto a igreja em Corinto estava tolerando grave pecado sexual (1Co 5.1). Ou pegue um exemplo da congregação cristã em Atos: uma parte da igreja acreditava que as viúvas estavam sendo negligenciadas em comparação a outra parte da igreja (At 6.1). Reclamações semelhantes ameaçam dividir muitas de nossas igrejas hoje. Nossa experiência pode estar mais perto dos cristãos primitivos do que pensamos.

Neste capítulo nós destacamos muitas das características positivas sobre a vida na igreja primitiva, e Atos sem dúvida nos oferece muito a imitar a partir do exemplo desses irmãos. O Espírito de Deus agiu de formas extraordinárias para capacitar a igreja em sua missão. Contudo, não teremos compreendido a igreja primitiva se pensarmos que não podemos nos relacionar com sua experiência. Esse grupo de crentes não viveu numa terra da fantasia espiritual intocada pelo pecado e a fraqueza. Na verdade, o ponto do exemplo deles não é nos fazer debruçar sobre suas forças, mas, sim, fazer-nos maravilhar com a força de Deus. O Espírito fez a mensagem de Cristo dar frutos enquanto era levada a cidade após cidade.

A igreja deve continuar a exaltar Jesus Cristo em nossos dias pelo poder do Espírito. Não deveríamos esperar por outro dia de Pentecoste, nem pelos mesmos sinais e maravilhas que os apóstolos presenciaram, mas devemos continuar a orar para que o Espírito Santo transforme nossa maneira de viver e nos dê coragem para proclamar as boas-novas às pessoas à nossa volta. O mesmo Deus que multiplicou a igreja primitiva trabalha por meio da igreja hoje. E o mesmo Espírito que viveu no meio dos cristãos do primeiro século vive dentro da igreja do século 21. É nossa responsabilidade levar essa mesma mensagem de cura e salvação ao nosso mundo moderno pelo poder e pela orientação do Espírito Santo.

Questões práticas e desafiadoras

1. Leia Atos 2.42-47 devagar. Depois de ler, passe alguns minutos meditando sobre o que caracterizava esse grupo de pessoas. O que se destaca para você?
2. Em sua opinião, por que a igreja primitiva se dedicava ao ensino dos apóstolos? Que implicações isso tem para a igreja hoje?
3. Por que a comunhão era tão importante para a igreja primitiva? Por que é importante para a igreja hoje?
4. Com suas palavras, descreva por que a ceia do Senhor é importante. A comunhão em sua igreja tem essa importância? Explique sua resposta.
5. Explique por que a oração é essencial para a vida e a missão da igreja. Como funcionaria a dedicação à oração na vida de sua igreja?
6. Leia 1Coríntios 12. De que modo a analogia de Paulo referindo-se à igreja como um corpo impacta nossa maneira de pensar a respeito da igreja?
7. A vida de sua igreja parece de algum modo com o corpo descrito por Paulo em 1Coríntios 12? Explique sua resposta.
8. O que você acha mais convincente na maneira como o livro de Atos descreve a vida da igreja primitiva?
9. Sua igreja possui essas características convencedoras? Se for o caso, descreva-as brevemente e agradeça a Deus por elas. Se não, por que, a seu ver, há carência dessas características?
10. Em sua opinião, o que o Espírito Santo gostaria que sua congregação fizesse num esforço para cumprir a missão da igreja em seu cenário específico? Se você não tem uma resposta para isso, torne a oração e a busca pela orientação do Espírito nessa questão uma prioridade em sua vida.

11. Passe algum tempo em oração. Peça a Deus que guie e capacite sua igreja para a missão que lhe foi dada. Ore para que a igreja hoje seja tudo o que Deus a designou para ser.

Assista ao vídeo.

23

Boas-novas para todas as nações

Jesus é seu Salvador *pessoal*? Essa é uma frase comum no meio cristão. Jesus deve ser seu Salvador pessoal. Mas certifique-se de que ele é muito mais que isso. Jesus com certeza salva os indivíduos de forma pessoal. Se seu relacionamento com Deus, outrora rompido, foi restaurado, é porque Jesus se sacrificou por seu pecado e a graça de Deus renovou seu coração. Isso acontece individualmente — ninguém é salvo porque tem pais cristãos, frequenta a igreja ou vive numa "nação cristã".

Seu relacionamento com Deus, porém, não deve ser caracterizado pelo individualismo. Deus trabalhou em seu coração individual para lhe dar nova vida, mas a salvação não diz respeito à sua ida para o céu como indivíduo. Jesus nos salva como indivíduos para nos colocar dentro de um corpo — a igreja. Na verdade, Jesus é o Salvador *da igreja.* Ele morreu para criar um povo unido que o ama e o adora e cumpre seus propósitos no mundo.

Isso significa que o evangelho não é uma boa-nova só *para mim*, mas para *todos.* Jesus é o Salvador do mundo (Jo 11.51-52; 1Jo 2.2). Com Adão e Eva, o mundo inteiro caiu no pecado. Com Jesus, o mundo inteiro pode ser redimido, restaurado, salvo, renovado (Rm 5.18). O plano divino de redenção sempre teve escopo global. Não há uma única tribo, língua ou nação no planeta que não será impactada pelo evangelho de Jesus Cristo (Ap 5.9). As boas-novas se destinam a todas as nações (Lc 2.10).

O plano de Deus para as nações

Espalhar o evangelho até os confins da terra não era um plano novo implementado por Jesus e seus discípulos. Desde o início, a intenção de Deus era restaurar cada aspecto do mundo que ele criou. Seu plano de salvação não é somente para os judeus, mas também para os gentios (um termo geral que significa "não judeus").

O Antigo Testamento apontava para um dia em que todas as pessoas, judeus e gentios, iriam até o único Deus verdadeiro. Deus prometeu a Abraão que nele *todas as nações* da terra seriam abençoadas (Gn 18.18). Da mesma forma, o salmista exclamou: "Louvem-te os povos, ó Deus; louvem-te *todos os povos*" (Sl 67.5). Deus disse a Isaías: "Farei de você uma luz para os gentios, para que você leve a minha salvação até os confins da terra" (Is 49.6). O coração de Deus sempre se estendeu a todas as nações.

Quando veio como o Messias, Jesus demonstrou o escopo global de sua missão. Embora seu foco inicial fosse buscar "as ovelhas perdidas de Israel" (Mt 15.24), ele sempre teve um objetivo maior em mente. Os judeus tendiam a se concentrar em sua herança nacional e a desprezar os gentios. Em particular, não gostavam do grupo dos samaritanos. No entanto, Jesus teve uma conversa amável com uma mulher samaritana em João 4 e demonstrou sua afeição pelas pessoas de fora de Israel. Igualmente, Jesus curou a filha, oprimida pelo demônio, de uma mulher cananeia (Mt 15.28). O objetivo de Jesus era "buscar e salvar o que estava perdido" (Lc 19.10), incluindo os ricos e os pobres, os aceitos e os marginalizados, os judeus e os gentios. Sobretudo o evangelho de Lucas destaca esse tema, em que a graça de Deus alcança até os menos prováveis.

A Grande Comissão (Mt 28.18-20) prova o desejo de Jesus de que todas as pessoas o conheçam. Ele trabalhou e trabalha por meio de seus discípulos, mediante o Espírito Santo, para realizar esse propósito.

Um Messias judeu para todos os povos

Depois que ressuscitou dos mortos, Jesus anunciou a seus discípulos que o Espírito Santo lhes daria poder para que fossem suas testemunhas "em Jerusalém, em toda a Judeia e Samaria, e até os confins da terra" (At 1.8). O restante do livro de Atos explica como isso aconteceu, começando com o crescimento da igreja em Jerusalém (At 2) e terminando com a proclamação paulina do evangelho na prisão em Roma (At 28).

Atos 10 registra um momento especialmente importante na história da igreja. Deus enviou Pedro (que, como o restante dos discípulos, era judeu) para levar o evangelho a Cornélio (um gentio) e sua família. Nesse ponto da história, os judeus evitavam contato íntimo com os gentios. No entanto, Deus deu a Pedro uma visão para mostrar-lhe que o evangelho se destinava a todas as nações. Quando Pedro contou a essa família de gentios sobre a nova vida que Deus oferece em Jesus Cristo, ela creu, e Deus testificou a validade de sua crença ao enviar-lhe o Espírito Santo.

À medida que o evangelho começava a se enraizar no mundo não judeu, uma pergunta surgiu: os gentios precisavam se tornar judeus antes de se tornarem cristãos? Lembre-se de que o plano divino de redenção esteve firmemente enraizado no povo de Israel desde o tempo em que Deus escolheu abençoar Abraão. Jesus era judeu, e o conceito do Messias era judaico até a medula. Alguns criam que, embora os gentios fossem convidados a participar da vida do Messias judaico, só podiam fazê-lo assumindo uma identidade distintamente judaica.

A questão veio à tona em Atos 15, quando os líderes da igreja se reuniram em Jerusalém para decidir como lidar com os gentios convertidos. Deveriam eles se submeter à lei de Moisés? Precisavam ser circuncidados e oferecer sacrifícios? Tiago ofereceu a seguinte solução:

> Portanto, julgo que não devemos pôr dificuldades aos gentios que estão se convertendo a Deus. Ao contrário, devemos escrever a eles, dizendo-lhes que se abstenham de comida contaminada pelos ídolos, da imoralidade sexual, da carne de animais estrangulados e do sangue.
>
> Atos 15.19-20

Basicamente, eles decidiram que ser cristão não é a mesma coisa que ser judeu. Esse foi um ponto crucial na propagação do evangelho. Embora sempre tivesse raízes judaicas, o cristianismo não é vinculado a uma etnia particular. O evangelho é isto: boas-novas para todas as nações.

Um apóstolo para os gentios

Quando Deus escolheu Paulo para ser apóstolo, ele o chamou especificamente para alcançar os gentios. A segunda metade de Atos enfoca o ministério de Paulo e acompanha suas viagens missionárias pelo vasto Império Romano. Na maior parte dos círculos religiosos de hoje, tendemos a pensar em Paulo sobretudo como teólogo. Analisamos suas cartas quando procuramos respostas para questões teológicas profundas. Mas é mais provável que, em primeiro lugar, Paulo se considerasse um missionário.

Paulo disse que recebeu o apostolado "para chamar dentre todas as nações um povo para a obediência que vem pela fé" (Rm 1.5). Sua ambição era partilhar as boas-novas em regiões que ainda não tinham ouvido falar da obra de Jesus (Rm 15.20). E, quando as pessoas responderam e começaram a se reunir como cristãos, ele as incitou a andar em obediência.

Paulo tinha algumas coisas importantes a dizer sobre a questão dos judeus e dos gentios. Ele argumentou que a fé em Jesus Cristo era tudo de que alguém precisava para participar do povo de Deus. Não se tratava de cumprir a lei judaica ou identificar-se com certa etnia — todos pecaram (Rm 3.23), portanto todos precisam de Deus e de sua salvação. A vida, a morte e a ressurreição de Jesus são as únicas bases para os pecadores reconciliarem-se com um Deus santo, seja qual for sua etnia ou origem. Nenhuma outra obra ou cerimônia é necessária. Acrescentar algo a esse firme alicerce é distorcer o evangelho (Gl 1.8). Paulo não podia ser mais claro acerca dessa importante questão:

> Não há judeu nem grego, escravo nem livre, homem nem mulher; pois todos são um em Cristo Jesus. E, se vocês são de Cristo, são descendência de Abraão e herdeiros segundo a promessa.
>
> Gálatas 3.28-29

A igreja missionária

Proclamar o evangelho para um mundo perdido não pode ser apenas mais uma atividade na concorrida agenda da igreja. Deve ser o centro de quem somos, o que define nossa identidade. Ser um seguidor de Cristo significa ser parte integrante dessa missão. A mensagem do evangelho nunca se propôs a ser um assunto particular. Como disse Jesus a seus discípulos: "Vocês são a luz do mundo. Não se pode esconder uma cidade construída sobre um monte" (Mt 5.14). A luz deve invadir a escuridão. O Novo Testamento inteiro trata de Cristo redimindo o mundo e chamando todas as nações da terra a louvá-lo por isso.

Quando chamou os doze discípulos para segui-lo, Jesus prometeu fazê-los "pescadores de homens" (Mt 4.19; Mc 1.17). Os discípulos, alguns deles antigos pescadores, agora "pescariam" dizendo às pessoas o que eles tinham ouvido e visto no ministério de Cristo. A meta deles era buscar novos seguidores de Cristo. Embora Jesus de fato tivesse falado sobre como devemos viver, suas instruções eram mais que um código ético a ser admirado. Ele estava preparando seus seguidores a se engajarem na batalha pelas almas.

Em nosso mundo moderno, é cada vez mais popular a atitude de guardarmos para nós a nossa fé, sem "pressionar as crenças alheias". Mas, de acordo com as ordens de Jesus, nossa fé é tudo, menos particular. Ele nos manda proclamar sua mensagem em toda parte e fazer discípulos de todas as nações (Mt 28.18-20). Essas são nossas ordens a cumprir, quer o mundo as aprove quer não.

Cada aspecto do nosso mundo foi manchado pelo pecado e pela morte. Desde o início, Deus teve um único plano de redenção, um plano que atingiu seu ápice na pessoa de Jesus Cristo. As pessoas à nossa volta talvez não percebam que estão perdidas e quebrantadas (embora com frequência notem isso), mas o mundo precisa desesperadamente de redenção. Deus está trabalhando para restaurar este mundo fragilizado. Conforme veremos no capítulo seguinte, isso não será plenamente realizado até o término da história. Mas o Senhor deu à sua igreja a tarefa de partilhar suas boas-novas e trazer cura àquilo que está adoecido.

Todos nós temos a responsabilidade de tomar parte nessa missão, mas desempenharemos papéis diferentes. Alguns de nós partilharão o evangelho em alguma selva remota ou em território muçulmano. Outros partilharão o evangelho localmente, enquanto treinam outros para irem até as áreas menos atingidas. Os que se sentem chamados a espalhar o evangelho localmente devem ainda assim orar com diligência e doar de modo sacrificial àqueles que partem. Nós todos temos de estar envolvidos. Levar as boas-novas a cada canto do mundo é a missão que Jesus nos legou. As missões não podem ser um simples departamento de sua igreja. Deve ser uma consideração vital em tudo o que a igreja faz. Uma igreja que não se preocupa em alcançar as nações não é uma igreja no sentido do Novo Testamento. Essa é nossa identidade. Não é algo que pode ser negligenciado sem comprometer quem somos e sem desonrar o Deus a quem afirmamos servir.

A comunidade multicultural dos redimidos

Apocalipse nos assegura de que o propósito divino de salvar "gente de toda tribo, língua, povo e nação" (Ap 5.9) *vai* acontecer. Que não haja confusão: a missão de Deus não pode falhar!

Ainda que aspectos de Apocalipse sejam por vezes confusos para nós, o livro ensina claramente que Deus redimirá um povo de todas as partes da terra mediante a morte de seu Filho, Jesus Cristo. O apóstolo João (o autor de Apocalipse) parecia estar maravilhado quando escreveu:

> Depois disso olhei, e diante de mim estava uma grande multidão que ninguém podia contar, de todas as nações, tribos, povos e línguas, em pé, diante do trono e do Cordeiro, com vestes brancas e segurando palmas. E clamavam em alta voz: "A salvação pertence ao nosso Deus, que se assenta no trono, e ao Cordeiro".
>
> Apocalipse 7.9-10

Essa imagem de adoração em Apocalipse deveria nos fazer confiar em nosso grandioso Deus. Toda autoridade pertence a ele, e seus planos sempre são bem-sucedidos. Portanto, devemos ter confiança quando buscamos o mundo ao nosso redor. Uma vez que o Espírito Santo nos dá poder, podemos estar certos de que nosso esforço para fazer discípulos de todas as nações não é inútil. Com Deus ao nosso lado, a vitória está garantida. Se Deus é por nós, quem será contra nós (Rm 8.31)? Mesmo quando somos rejeitados e suportamos o sofrimento por causa de nosso testemunho, Deus está totalmente no controle. O poder do evangelho prevalecerá. Portanto, ore, vá, partilhe e alegre-se no Senhor Jesus Cristo.

Questões práticas e desafiadoras

1. De que modo o coração de Deus como revelado no Antigo Testamento e no ministério de Jesus transforma nosso modo de pensar nas pessoas que parecem "inalcançáveis" e a maneira como nos relacionamos com elas?
2. Leia Atos 15. Como o aspecto global do plano divino de redenção está demonstrado nessa passagem?
3. Reserve um minuto para meditar em Gálatas 3.28-29. Em sua opinião, por que Paulo falou tanto sobre a relação entre judeus e gentios?
4. O que significa ser "pescador de homens"?
5. Existe algo em sua vida que o identificaria como "pescador de homens"? Se sim, o quê? Se não, o que você pode fazer para crescer nessa área?
6. Como você descreveria a postura e a participação de sua igreja em relação à propagação do evangelho a todas as nações? De que modo você poderia encorajar sua igreja a trabalhar para esse fim?
7. Qual é seu envolvimento pessoal com as missões? Você está envolvido na ida, no envio, no treinamento, no suprimento,

na oração etc.? Que mudanças você precisa fazer nessa área de sua vida?

8. De que modo a imagem de uma multidão multiétnica adorando a Deus no final da história impacta sua maneira de pensar em nossa tarefa de alcançar as nações?
9. Passe algum tempo em oração. Peça a Deus que lhe dê o ardente desejo de ver as boas-novas de Jesus Cristo sendo recebidas em cada canto do mundo. Peça-lhe que lhe mostre qual papel você deve desempenhar na propagação do nome dele ao redor da terra.

Assista ao vídeo.

24

O fim da história

Quanto mais pensamos no fim, mais fortes e eficazes somos como cristãos. Ficamos centrados no objetivo. Lembramos que Deus não terminou de trabalhar e que tudo será concluído no tempo perfeito dele.

Com que frequência você medita no modo como o mundo acabará?

Com esta lição, chegamos ao final da história bíblica. Como vimos, o bom mundo de Deus cai sob o poder da maldição depois de Adão e Eva rejeitarem o governo de seu Rei. A Bíblia narra o desenrolar do plano divino de redenção nas promessas a Abraão, no êxodo de Israel, na lei de Moisés e no trono real de Davi. Esse plano de redenção atinge seu ápice na vida, na morte e na ressurreição de Jesus e prossegue para a vida da igreja quando Jesus envia seu Espírito Santo a fim de capacitar seu povo a dar continuidade à missão de Deus.

Em essência, a história da Bíblia segue as ações de Deus à medida que ele executa seu plano de reverter os efeitos da queda. Deus criou os seres humanos à sua imagem e os colocou no meio de seu bom mundo para que o moldassem e governassem em seu nome, com amor. Mas, desde o momento em que Adão e Eva se rebelaram contra Deus, este mundo ficou debaixo da maldição, manchado pelo pecado e pela morte. Como diz Paulo, a criação inteira geme para ser liberta da escravidão da corrupção (Rm 8.19-22). O abrangente plano divino de redenção consiste em reverter tudo o que o pecado fez para corromper este mundo. A Bíblia começa com a afirmação: "No princípio Deus criou os céus e a terra" e termina com a declaração divina: "Estou fazendo novas todas as coisas" (Ap 21.5).

O início do fim

Não podemos falar sobre o fim sem falar de Jesus. Nossa salvação definitiva virá no final da história, quando Jesus voltar. Todavia, essa salvação já foi comprada e garantida. Jesus nos assegurou isso quando anunciou da cruz: "Está consumado!" (Jo 19.30). O que quer que aconteça no futuro, nossa esperança está assegurada no fato de que Jesus agiu de forma decisiva na história e restaurou nosso relacionamento com Deus, antes rompido. A vida, a morte e a ressurreição de Jesus não foram apenas uma parte da história da redenção, mas seu ponto culminante, no qual o descendente de Eva esmagou a cabeça do inimigo (Gn 3.15).

Em vista do que Jesus fez em nosso favor, a história se encaminha para um glorioso final. Assim como a história mudou quando Jesus veio à terra, tudo mudará novamente quando ele voltar (um acontecimento ao qual nos referimos como "a Segunda Vinda"). O autor de Hebreus explicou o significado das duas aparições de Jesus na terra:

> Se assim fosse, Cristo precisaria sofrer muitas vezes, desde o começo do mundo. Mas agora ele apareceu uma vez por todas no fim dos tempos, para aniquilar o pecado mediante o sacrifício de si mesmo. Da mesma forma, como o homem está destinado a morrer uma só vez e depois disso enfrentar o juízo, assim também Cristo foi oferecido em sacrifício uma única vez, para tirar os pecados de muitos; e aparecerá segunda vez, não para tirar o pecado, mas para trazer salvação aos que o aguardam.
>
> Hebreus 9.26-28

Jesus apareceu pela primeira vez para sacrificar-se e assegurar nossa salvação, e aparecerá novamente para que possamos fruir dessa salvação. Esse é o futuro para o qual a história está se dirigindo. É assim que o mundo vai acabar.

Os cristãos costumam discordar de muitos pontos teológicos, sobretudo quando se trata de eventos futuros. Grupos teológicos se formaram em torno de diferentes pontos de vista acerca de como o fim dos tempos ocorrerá. Grande parte das discussões se concentra na linha de tempo precisa das profecias escatológicas. Algumas das profecias do Antigo e do Novo Testamentos são notoriamente difíceis de interpretar. Visto que alguns desses conceitos são complicados e causam divisões, muitas pessoas escolhem evitar o assunto como um todo — como se o fim do mundo não fosse realmente um tópico muito importante. Mas Jesus falou com frequência sobre o fim. De fato, o apego à promessa do fim pode nos ajudar a superar situações difíceis hoje. Como cristãos, a paz resulta de saber que nosso sofrimento terá fim. A alegria resulta de nossa confiança de que Jesus está voltando para fazer novas todas as coisas.

Seria errado ignorar os eventos do fim dos tempos, mas há algumas questões que são complexas demais para resolver aqui. Nós vamos nos concentrar no panorama geral e nos conceitos que Deus claramente deseja que reconheçamos nessas profecias.

O que todos nós desejamos

Ao longo da história, a humanidade não foi capaz de afastar a sensação de que há algo errado com o mundo. As pessoas tentam culpar Deus, os líderes políticos, as religiões e praticamente tudo e todos pela decepção que sentimos acerca da condição do mundo. Nós vemos o problema nos crimes que ouvimos no noticiário e também nas frustrações e injustiças pelas quais passamos em nossa vida cotidiana. A questão permeia até os pensamentos que atravessam nossa mente. Existe algo de errado com o mundo, e essa percepção invade cada aspecto de nossa existência.

Como cristãos, vemos alguns dos efeitos da queda revertidos em nossa vida. O evangelho nos libertou da escravidão do pecado (Rm 6), e o Espírito de Deus nos capacita a seguir Jesus de maneiras que os não cristãos não são capazes (Rm 8; Gl 5). Mas nós também experimentamos um obstáculo adicional: Paulo prometeu que todos que desejam viver de forma temente a Deus enfrentarão perseguição (2Tm 3.12). Nós experimentamos a alegria do Senhor, mas a vida em um mundo decaído é difícil e muitas vezes decepcionante.

Somos chamados a seguir fielmente Jesus neste mundo marcado pelo pecado, mas temos também a doce promessa de que as coisas não serão assim para sempre. Jesus voltará, e o mundo será posto nos eixos. Onde hoje enfrentamos a injustiça, Deus trará justiça. Onde há divisão, Deus trará paz. Onde há pecado, Deus trará retidão. Tal é a promessa que nos leva adiante quando sentimos que este mundo está enfermo demais para ser curado, ou que somos fracos demais para suportar mais tempo.

O retorno do Rei

A coisa mais importante que devemos entender em relação ao futuro é que Jesus está voltando. Quando ele voltou para seu Pai, deixou a igreja a fim de executar sua missão e enviou o Espírito Santo para nos capacitar para essa tarefa. Mas Jesus não concluiu seu trabalho neste mundo. Ele voltará e, quando voltar, dominará sobre uma terra perfeita, pacífica e recriada.

Leia o primeiro capítulo de Apocalipse e você logo perceberá que a segunda vinda de Jesus será muito diferente da primeira. O servo manso, a quem ridicularizaram e em quem cuspiram, se revelará o Governador do Universo e será digno de temor. Em sua volta, Jesus trará a salvação definitiva para seu povo, restaurará a justiça à terra e destruirá todos os inimigos de Deus. O livro de Apocalipse registra a guerra feroz e retrata Jesus como o Rei vencedor que recupera corajosamente o mundo que lhe pertence por direito (Ap 19). Por mais fraca que a igreja tenha parecido em alguns momentos da história, por mais perseguidos e derrotados que às vezes nos sintamos, isso é que nos espera no futuro.

Em nenhum momento o plano divino de redenção foi acidental. Nunca houve dúvida alguma sobre como a história acabará.

Este é o mundo de Deus; ele o criou e prometeu recuperá-lo; ele morreu para comprar seu povo e por fim, quando o tempo chegar, virá e tomará este mundo pela força. Paulo ilustrou poderosamente a realidade desse último dia:

> Por isso Deus o exaltou à mais alta posição e lhe deu o nome que está acima de todo nome, para que ao nome de Jesus se dobre todo joelho, nos céus, na terra e debaixo da terra, e toda língua confesse que Jesus Cristo é o Senhor, para a glória de Deus Pai.
>
> Filipenses 2.9-11

Não importa quanta oposição enfrentemos, chegará o dia em que todos verão quem Jesus realmente é. Seu reinado finalmente será percebido na terra da mesma forma como sempre foi percebido no céu.

O novo céu e a nova terra

Vá às últimas páginas da Bíblia e você encontrará um belo retrato da criação restaurada. Os primeiros capítulos de Gênesis e os últimos capítulos de Apocalipse funcionam como colchetes dentro dos quais se desenvolve o plano divino de redenção. Em Gênesis, Deus criou todas as coisas e disse que eram boas (Gn 1—2). As pessoas foram criadas para ter comunhão com Deus e refletir sua glória como gestores da criação. De modo semelhante, a Bíblia termina com uma imagem da nova criação: "Então vi novos céus e nova terra" (Ap 21.1). Essa nova criação foi antecipada no Antigo Testamento, portanto não é por acaso que Apocalipse descreve a nova criação usando imagens do jardim do Éden e do templo em Jerusalém. Tanto o jardim como o templo eram lugares de encontro entre Deus e a humanidade. As folhas da árvore da vida agora trarão a cura, e o rio da água da vida fluirá do trono de Deus (22.1-2). Há também uma nova Jerusalém; somente essa cidade santa não necessita de um prédio como templo, porque "o Senhor Deus todo-poderoso e o Cordeiro são o seu templo" (21.22).

Tudo na velha criação que foi marcado pelo pecado e pela morte já não existirá, pois Deus fez novas todas as coisas. A nova criação será tão cheia de alegria que parece difícil de compreender. Mas a melhor notícia sobre a nova criação, esse paraíso eterno, não é que as flores serão mais bonitas nem que a grama será mais verde, ou mesmo que nosso corpo estará livre de doenças (por melhor que essas coisas sejam); em vez disso, a melhor característica da nova criação é que teremos comunhão perfeita com Deus. Veja como João colocou: "Agora o tabernáculo de Deus está com os homens, com os quais ele viverá. Eles serão os seus povos; o próprio Deus estará com eles e será o seu Deus" (21.3). Essa declaração ecoa as alianças que Deus fez com seu povo desde o início e aponta para a realidade pela qual todos ansiamos. Imagine como será ver nosso santo Deus em pessoa, habitando entre nós!

Essa comunhão com Deus vai muito além de um homem (como no caso de Abraão) ou de uma nação (como no caso de Israel). A Bíblia nos fala de "gente de toda tribo, língua, povo e nação" (5.9) que adorará a Jesus diante de seu trono. A ordem que Jesus deu na Grande Comissão — fazer discípulos de todas as nações — será finalmente cumprida. Os propósitos de Deus para este mundo serão enfim realizados. A redenção estará completa.

Um dia de julgamento

Há também um lado horripilante nessa gloriosa consumação no Apocalipse. O julgamento eterno espera aqueles que rejeitaram Deus e se opuseram ao seu povo. O pecado será visto como é — não uma parte inconsequente da vida, mas uma grave afronta a Deus. Aqueles que fazem o mal não entrarão na cidade gloriosa. Cristo julgará as pessoas de acordo com o que fizeram (22.12), e somente aqueles que estão unidos a Jesus terão permissão de entrar. O resto será lançado no lago de fogo (Ap 20.11-15).

Isso deveria nos fazer tremer literalmente quando pensamos naqueles que não se submeteram a Jesus como Senhor (Rm 9.1-3). Nossa missão para com aqueles que estão perdidos não poderia ser mais urgente. Os grupos de pessoas não alcançadas em todo o globo e nossos vizinhos da casa ao lado precisam ouvir a única mensagem que pode salvá-los.

E você? Entende até que ponto o pecado contamina sua vida e o separa do Deus Santo do Universo? Enxerga o que é sua rebeldia? Já recebeu o sacrifício que Jesus fez para remover seu pecado e restaurar seu relacionamento com Deus? Ou está sob a ilusão de que seus esforços morais lhe garantirão acesso ao descanso eterno com Deus? Leia as palavras de Jesus: "A quem tiver sede, darei de beber gratuitamente da fonte da água da vida" (21.6). Venha, creia e beba de graça.

Vivendo com o fim em vista

A mensagem de Apocalipse tem enormes implicações na maneira como vivemos nossa vida hoje. Não se trata apenas do que vai acontecer no futuro. Assim como as ações de Deus no passado deveriam impactar nossa maneira de viver hoje, também as ações de Deus no futuro devem transformar tudo o que fazemos agora. Uma das características mais fortes do livro de Apocalipse é seu encorajamento para permanecermos fiéis em circunstâncias que parecem impossíveis.

Quando o apóstolo João escreveu Apocalipse, ele estava exilado na ilha de Patmos. Fora banido porque se recusou a parar de pregar o evangelho (Ap 1.9). Enquanto João aguardava no exílio, Deus lhe deu um vislumbre do mundo real e de como este será no futuro. Apesar do então dominante Império Romano parecer estar no controle do mundo conhecido, João obteve um retrato diferente da realidade — ele viu o mundo como Deus o vê. O livro de Apocalipse basicamente transmite essa mensagem a sete igrejas durante o primeiro século da era cristã e, por extensão, a todos os que creem.

A mensagem para as sete igrejas em Apocalipse e para nós hoje é que não podemos abandonar nosso compromisso com Jesus Cristo. Embora enfrentemos oposição e sofrimento, Jesus reina sobre cada autoridade terrena. O julgamento que virá sobre aqueles que rejeitam Cristo é terrível, mas os cristãos devem ansiar pelo retorno de Jesus, uma vez que seu destino final é a nova criação. Os propósitos de Deus enfim se cumprirão; as boas-novas serão proclamadas, e toda a terra crerá nelas. Apocalipse chama aqueles que não seguem Jesus a arrependerem-se e a receberem a salvação que ele oferece, antes que seja tarde demais. Também chama aqueles que são seguidores de Jesus a permanecerem firmes até o fim.

Pedro nos alertou de que nos últimos dias as pessoas zombarão de nós por crermos na volta de Jesus: "Eles dirão: 'O que houve com a promessa da sua vinda? Desde que os antepassados morreram, tudo continua como desde o princípio da criação'" (2Pe 3.4). Em outras palavras: "Nós não o vimos fazer nada para punir o ímpio, então por que deveríamos acreditar que haverá um dia de julgamento?". A resposta de Pedro nos oferece grande esperança:

> Não se esqueçam disto, amados: para o Senhor um dia é como mil anos, e mil anos como um dia. O Senhor não demora em cumprir a sua promessa, como julgam alguns. Ao contrário, ele é paciente com vocês, não querendo que ninguém pereça, mas que todos cheguem ao arrependimento.
>
> O dia do Senhor, porém, virá como ladrão. Os céus desaparecerão com um grande estrondo, os elementos serão desfeitos pelo calor, e a terra, e tudo o que nela há, será desnudada.
>
> Visto que tudo será assim desfeito, que tipo de pessoas é necessário que vocês sejam? Vivam de maneira santa e piedosa, esperando o dia de Deus e apressando a sua vinda. Naquele dia os céus serão desfeitos pelo fogo, e os elementos se derreterão pelo calor. Todavia, de acordo com a sua promessa, esperamos novos céus e nova terra, onde habita a justiça.
>
> Portanto, amados, enquanto esperam estas coisas, empenhem-se para serem encontrados por ele em paz, imaculados e inculpáveis.
>
> 2Pedro 3.8-14

Não se engane, Jesus está voltando. Ele espera paciente pelo arrependimento dos homens e mulheres que criou, mas não esperará para sempre. Chegará o dia em que este mundo será purificado pelo fogo, assim como foi purificado pelo dilúvio no tempo de Noé. A realidade do julgamento e a promessa do novo céu e da nova terra devem nos motivar a permanecer fiéis a Jesus neste momento. Não precisamos duvidar que o plano divino de redenção chegará a seu cumprimento, mas o fim para o qual a história se encaminha deve definir nossa agenda para hoje.

Por que fazemos discípulos

A Bíblia termina com as seguintes palavras: "Aquele que dá testemunho destas coisas diz: 'Sim, venho em breve!' Amém. Vem, Senhor Jesus! A graça do Senhor Jesus seja com todos. Amém" (Ap 22.21-24). Nossa missão designada por Deus é alcançar cada canto da criação e fazer discípulos de todas as nações. Jesus nos deu essa ordem quando partiu, e logo ele estará de volta.

Esta vida diz respeito a Jesus e à sua glória. Nossa missão diz respeito a Deus e ao seu plano de redenção. Vimos a história divina de redenção se desenrolar desde o momento em que Adão e Eva comeram do fruto proibido até a igreja primitiva espalhar as boas-novas sobre Jesus ao redor do mundo conhecido. A igreja também tem uma história de dois mil anos de missão contínua, fazendo discípulos e propagando o evangelho pelo mundo (ainda que nem sempre tenha feito isso perfeitamente). Nesta lição, vimos onde a história acabará.

Podemos seguir o enredo do começo ao fim; porém, ainda há uma lacuna que permanece na história: o papel que somos chamados a desempenhar. O fim da história já foi escrito, mas ainda temos a responsabilidade de fazer nossa parte. A esperança e a cura do evangelho ainda precisam atingir as pessoas ao redor do mundo hoje. O momento presente foi confiado a nós por Deus. Fazer discípulos sempre foi o chamado da igreja, e é nossa responsabilidade dedicarmo-nos a isso até o fim.

Jesus disse:

> Foi-me dada toda a autoridade nos céus e na terra. Portanto, vão e façam discípulos de todas as nações, batizando-os em nome do Pai e do Filho e do Espírito Santo, ensinando-os a obedecer a tudo o que eu lhes ordenei. E eu estarei sempre com vocês, até o fim dos tempos.
>
> Mateus 28.18-20

O Rei tem plena autoridade, e ele nos deu essa ordem. Ele estará conosco sempre, até o fim dos tempos. Não sabemos exatamente quando chegará o fim, mas sabemos que fazer discípulos é o que precisamos fazer. Oremos para que, quando Jesus voltar, ele nos encontre buscando fielmente sua missão com as habilidades, os relacionamentos e os recursos que ele confiou a nós.

Questões práticas e desafiadoras

1. Você já estudou ou pensou a respeito de como e quando o mundo vai acabar? Se sim, qual foi sua impressão do fim dos tempos? Se não, por que, a seu ver, você não lidou com esse assunto no passado?
2. Leia Romanos 8.18-25. De que modo essa promessa influencia sua visão do mundo?
3. Leia Apocalipse 1. Com base nessa descrição de Jesus, relate como ele será diferente em sua segunda vinda em relação à primeira.
4. Leia Apocalipse 21—22. Durante a leitura dessa bela descrição da nova criação, não fique tentando interpretar cada detalhe. Em vez disso, tente imaginar e sentir a beleza e a paz do cenário que nos espera. O que mais se destaca para você na leitura desse relato?
5. Com base no que você leu em Apocalipse 21—22 e no que leu e discutiu nesta lição sobre a criação, de que modo a nova

criação de Deus refletirá a criação inicial antes da queda? Em que sentido a nova criação será melhor?

6. De que modo a promessa do julgamento no retorno de Jesus impacta nosso modo de pensar nos não cristãos à nossa volta e de interagir com eles?
7. Existe alguém em sua vida a quem você precisa se dedicar mais para alcançá-lo? Se sim, passe algum tempo pedindo ao Espírito Santo que lhe dê confiança e sabedoria para alcançar essa pessoa com o evangelho.
8. De que modo o fim da história impacta nossa maneira de viver hoje? Seja o mais específico possível em relação à sua situação pessoal.
9. Passe algum tempo em oração. Agradeça a Deus pelo fato de que Jesus voltará para pôr o mundo nos eixos e que seu plano de redenção será concluído. Peça a Deus que toque seu coração com a realidade do que o futuro reserva. Peça-lhe que o guie e o capacite a viver como fiel discipulador neste momento da história.

Assista ao vídeo.

CONCLUSÃO

E daqui em diante?

Agora que você concluiu a leitura de *Multiplique*, queremos deixar claro que seu trabalho não acabou. O chamado para fazer discípulos não consiste em concluir a leitura de um livro, completar determinado número de lições ou passar do ponto A para o ponto B. A missão que recebemos reivindica cada aspecto de nossa vida desde agora até o dia de nossa morte ou da volta de Cristo. Completar este livro é um marco no caminho, mas não é o fim.

Sendo assim, o que fazer daqui em diante?

Primeiro, entenda que ler sobre a Bíblia não serve como substituto para a leitura real da Bíblia. Nós acreditamos que aquilo que escrevemos aqui tenha lhe proporcionado algumas ferramentas úteis e oferecido uma perspectiva sobre o que é a Bíblia e como estudá-la com atenção e obediência. Mas, se você parar aqui, então tudo terá sido uma enorme perda de tempo. O objetivo é que, a partir de agora, você passe o restante da vida lendo a Palavra de Deus e fazendo o que ela diz.

É útil ouvir e falar sobre a Bíblia, mas lembre-se de que há algo especial na leitura direta das Escrituras. A Palavra de Deus é de fato *viva* e *eficaz* (Hb 4.12). Ela entra em seu interior e transforma você a partir de dentro. Devemos falar sobre a verdade de Deus com frequência. Mas não podemos falar sobre a Palavra de Deus se não a lermos regularmente. Precisamos imergir nas Escrituras para que elas apareçam naturalmente em todas as áreas de nossa vida.

A leitura da Bíblia é algo simples, mas, se você se disciplinar a fazer dela uma parte regular de sua vida, ela o transformará mais do que possa imaginar. Obviamente você desejará ler tanto quanto puder, mas não deixe sua ambição se tornar um obstáculo. Algumas pessoas têm o tempo e a capacidade de ler seções maiores das Escrituras que as outras. Comece com um objetivo atingível; se você perceber que é capaz de ler mais que o planejado, ótimo. Tudo na Bíblia é importante, mas não se trata de quanto você consegue ler de uma só vez. Trata-se de permitir que Deus fale com você mediante sua Palavra e de responder com obediência e fé.

A cada seção lida das Escrituras, faça a si mesmo duas perguntas:

1. O que Deus está dizendo nesta passagem?
2. Como devo responder?

Certifique-se de usar as técnicas que você aprendeu na Parte 3 sobre como estudar a Bíblia.

Segundo, não deixe que este seja o fim de seu processo de fazer discípulos. Se você finalizou a leitura deste livro com alguém, comece a ler os livros da Bíblia com essa pessoa. Escolham uma passagem das Escrituras a ser lida e depois se reúnam e conversem sobre o que aprenderam. Em toda passagem você encontrará diversas coisas que não entenderá por completo. Tudo bem. Não se trata de saber tudo. Existem respostas por aí, mas ser um discipulador não tem a ver com saber todas as respostas. Tem a ver com comprometimento em seguir Jesus e levar a sério sua ordem de ajudar outras pessoas a segui-lo mais plenamente.

Ao reunir-se com a pessoa que você está discipulando, não se preocupe em estar superpreparado. Estude a passagem sozinho, depois juntem-se e partilhem o que chamou a atenção de cada um. O que vocês aprenderam? O que Deus parece estar dizendo? Que dúvidas vocês têm? Como essas verdades devem ser aplicadas à sua vida? Como vocês podem ajudar um ao outro a seguir fielmente Jesus à luz daquela passagem das Escrituras?

Discutir as Escrituras dessa forma não é apenas um meio de obter mais conhecimento, mas, sim, de construir um relacionamento centrado em Deus e impregnado de sua Palavra. A Palavra de Deus desafiará e transformará você constantemente.

Por fim, nós o incentivamos a encontrar outra pessoa para conhecer *Multiplique*. Se você acompanhou alguém ao longo deste livro, continue lendo a Bíblia com essa pessoa e encontre outra com quem possa iniciar o processo. Se você acabou de ser guiado por alguém, então pegue o que aprendeu e acompanhe alguém ao longo do mesmo caminho.

Paulo mostrou o efeito multiplicador de fazer discípulos quando disse a Timóteo: "E as palavras que me ouviu dizer na presença de muitas testemunhas, confie-as a homens fiéis que sejam também capazes de ensinar outros" (2Tm 2.2). O processo nunca termina. É assim que a igreja cresce e continua a edificar-se. Essa é a missão que Jesus deixou para nós, e é o que queremos estar fazendo quando ele voltar.

Notas

Capítulo 1

[1] Essas simples verdades serão analisadas com mais detalhes nas Partes 3 e 4, "Entendendo o Antigo Testamento" e "Entendendo o Novo Testamento". Seu significado pleno será explicado adiante, mas é importante compreendê-las desde o início.

Capítulo 9

[1] Consulte <multiplymovement.com> [em inglês] para conhecer guias de leitura que ajudarão você a adquirir o hábito de ler toda a Bíblia regularmente. Se você está interessado em recursos que o ajudarão a inserir passagens bíblicas em seu contexto, considere utilizar uma Bíblia de estudo, como a *The ESV Study Bible* (Wheaton: Crossway, 2008). Outra excelente fonte que ajudará você a entender o contexto geral da Bíblia é *The Drama of Scripture: Finding Our Place in the Biblical Story*, de Craig G. Bartholomew e Michael W. Goheen (Grand Rapids: Baker Academic, 2004.)

Capítulo 13

[1] Os "israelitas" são os descendentes de Abraão. Receberam o nome de Jacó (neto de Abraão), cujo nome Deus mudou para "Israel".

Capítulo 19

[1] Há somente um Deus; porém, a Bíblia ensina que ele existe como Pai, Filho e Espírito Santo. O conceito da Trindade é um mistério profundo, mas é essencial para a maneira como as Escrituras descrevem Deus.

Capítulo 21

[1] Nas Escrituras, uma das afirmações mais diretas que iguala o Espírito Santo ao próprio Deus é encontrada em Atos 5. No versículo 3, Pedro pergunta por que Ananias escolheu mentir para o Espírito Santo, e depois, no versículo 4, Pedro diz a Ananias que ele havia mentido para Deus. A mesma premissa é feita ao longo da Bíblia: o Espírito Santo é plenamente Deus, assim como Jesus Cristo e o Pai são plenamente Deus.

[2] Para obter um exemplo disso, veja Gálatas 3.15, em que Paulo usa um importante argumento teológico com base no uso de um substantivo plural em vez de um substantivo singular, no Antigo Testamento.

Capítulo 22

[1] Os doze "apóstolos" eram os doze discípulos originais de Jesus que o seguiram ao longo de seu ministério. Depois de trair Jesus, Judas cometeu suicídio, e os outros onze discípulos puseram Matias em seu lugar, como descrito em Atos 1. A palavra *apóstolo* significa "aquele que é enviado", "representante", ou "mensageiro".

Conheça outras obras de

Francis Chan

- Apagando o inferno
- Até que sejamos um
- Cartas à igreja
- Louco amor
- O Deus esquecido
- Você e eu para sempre

Compartilhe suas impressões de leitura escrevendo para:
opiniao-do-leitor@mundocristao.com.br
Acesse nosso *site*: www.mundocristao.com.br

Equipe MC: Daniel Faria (editor assistente)
Natália Custódio
Projeto gráfico: Sonia Peticov
Diagramação: Assisnet Design Gráfico
Preparação: Luciana Chagas
Revisão: Josemar de Souza Pinto
Gráfica: Imprensa da Fé
Fonte: Adobe Garamond Pro
Papel: Pólen Natural 70 g/m² (miolo)
Cartão 250 g/m² (capa)